路

LU

主编 赵金铭　合著 苏英霞 胡孝斌

短期速成
外国人汉语会话课本
CHINESE CONVERSATION FOR FOREIGNERS

上册

北京语言文化大学出版社

（京）新登字 157 号

图书在版编目（CIP）数据

路　上/赵金铭主编．
－北京：北京语言文化大学出版社，2002
ISBN 7－5619－1049－5

Ⅰ．路…
Ⅱ．赵…
Ⅲ．汉语－口语－对外汉语教学－教材
Ⅳ．H195.4

中国版本图书馆 CIP 数据核字（2002）第 018848 号

责任印制：乔学军
出版发行：北京语言文化大学出版社
社　　　址：北京海淀区学院路 15 号　邮政编码 100083
网　　　址：http：//www. blcup. com
　　　　　　http：//www. blcu. edu. cn/cbs/index. htm
印　　　刷：北京北林印刷厂
经　　　销：全国新华书店
版　　　次：2002 年 6 月第 1 版　2002 年 6 月第 1 次印刷
开　　　本：787 毫米×1092 毫米　1/16　印张：15. 75
字　　　数：210 千字　印数：1－5000 册
书　　　号：ISBN 7－5619－1049－5/H・02019A
定　　　价：36. 00 元

发行部电话：010－82303651　82303591
　　　传真：010－82303081
E-mail：fxb@ blcu. edu. cn

编者的话

本书是为初学汉语的外国人编写的汉语口语教材。取名为"路",是想为学习者探明一条直通获取基本口语能力之路,而避免不必要的曲折。上、下两册共 35 课。每课由典型范句、会话、生词、注释、语言点例释、练习和补充句子七部分组成。全册共辖日常交际功能项目 30 多个,生词 900 个左右,基本语言点和常用词语用法注释 100 余条。

既然是一门口语教材,就应该把着眼点放在培养学习者运用汉语进行口语交际的能力上。本书以交际功能为纲,以语言点的解释为辅。在语料的选择上,注意语言的实用性与时代特征。所用范句都力求选取汉语中最基本、最常用、最鲜活的部分,并通过日常生活的场景展现出来。鲜活则易于上口,有场景更便于记忆。同一范句又配以若干替换词,目的在于使学习者熟练掌握所学句式,在熟悉的情景与语境中,针对自己所要表达的语义选择恰当、得体的语言形式,从而实现意义与形式合理搭配,为从语义出发寻求句式探索一条可行之路。于是,在语言的真实性上就要特别讲究。书中的语言应该自然、真实、合乎情理,是实际生活中存在的,而不是人工编造的语言。本书在这方面做了尝试。

成年人学习外语或第二语言的一个特点是对规则的追求,并进而以规则类推来表述自己的思想。汉语句法虽有规则,却又灵活多变。本书的语法部分既不追求系统性,又不做过多的说明,对语言现象的解释,力求简明扼要、点到为止。有些加入正反例句,通过判断正误帮助学习者加深对所学语言点的理解和掌握。

本书是一本初级汉语的口语教材。对于什么是口语、口语的特点是什么、口语和书面语的区别何在、如何编写口语教材,以及如何真正体现口语教材的教学特点等问题,对外汉语教学界都在探讨之中。本书谨做些尝试性的工作。不当之处,在所难免。敬乞使用者不吝指正。

编 者
2002 年 5 月

上 册 目 录

词 类 简 称 表
Abbreviations

1．(名)	名词	míngcí	noun
2．(代)	代词	dàicí	pronoun
3．(动)	动词	dòngcí	verb
4．(能动)	能愿动词	néngyuàn dòngcí	modal verb
5．(形)	形容词	xíngróngcí	adjective
6．(数)	数词	shùcí	numeral
7．(量)	量词	liàngcí	measure word
8．(副)	副词	fùcí	adverb
9．(介)	介词	jiècí	preposition
10．(连)	连词	liáncí	conjunction
11．(助)	助词	zhùcí	particle
	动态助词	dòngtài zhùcí	aspect particle
	结构助词	jiégòu zhùcí	structural particle
	语气助词	yǔqì zhùcí	modal particle
12．(叹)	叹词	tàncí	interjection
13．(象声)	象声词	xiàngshēngcí	onomatopoeia
(头)	词头	cítóu	prefix
(尾)	词尾	cíwěi	suffix

问 候
Greetings

你 好

How do you do!

一、汉语拼音　Pinyin

1. 韵母　Finals

a o e er i -i(zi) -i(zhi) u ü

ai ei ao ou an en ang eng ong

ia ie iao iou(-iu) ian in iang ing iong

ua uo uai uei(-ui) uan uen(-un) uang ueng

ue uan un

2. 声母　Initials

b p m f   j q x

d t n l   z c s

g k h   zh ch sh r

3. 音节　Syllables

汉语的音节绝大多数由声母和韵母组成。如"ba"这个音节是由声母"b"和韵母"a"组成的。韵母也可以自成音节,如"ài"(爱)、"ān"(安)。

Most of the syllables in Chinese are composed of an initial and a final. For example, the syllable "ba" is made up of the initial "b" and the final "a". Finals can form syllables on their own, e.g. "ài" and "ān".

4.声调　Tones

声调是音节的音高变化。汉语普通话有四个基本声调,分别为第一声(ˉ)、第二声(ˊ)、第三声(ˇ)、第四声(ˋ)。如"妈"(mā)、"麻"(má)、"马"(mǎ)、"骂"(mà)。

Tones indicate the changes in the pitches of the syllables. There are four basic tones in Putonghua, namely, the first tone (ˉ), the second tone (ˊ), the third tone (ˇ), and the fourth tone (ˋ), as examplified in "妈"(mā), "麻"(má), "马"(mǎ), "骂"(mà).

二、生词　New words

你 nǐ (代) you　　　　您 nín (代) you　　　　我 wǒ (代) I, me

他 tā (代) he　　　　她 tā (代) she

你们 nǐmen (代) you(pl.)　　　　我们 wǒmen (代) we, us

他们 tāmen (代) they/them　　　　她们 tāmen (代) they/them

爸爸 bàba (名) father

妈妈 māma (名) mother

老师　lǎoshī　（名）　teacher

朋友　péngyou　（名）　friend

听　tīng　（动）　to listen

说　shuō　（动）　to say,

to speak

读　dú　（动）　to read

写　xiě　（动）　to write

看　kàn　（动）　to see,

to watch

做　zuò　（动）　to do

问　wèn　（动）　to ask

回答　huídá　（动）　to answer

汉语　Hànyǔ　（名）　Chinese

生词　shēngcí　（名）　new word

课文　kèwén　（名）　text

书　shū　（名）　book

汉字　Hànzì　（名）

Chinese character

黑板　hēibǎn　（名）　blackboard

练习　liànxí　（名）　exercise

作业　zuòyè　（名）　homework

问题　wèntí　（名）　question

3

零　líng　（数）　zero

一　yī　（数）　one

二　èr　（数）　two

三　sān　（数）　three

四　sì　（数）　four

五　wǔ　（数）　five

六　liù　（数）　six

七　qī　（数）　seven

八　bā　（数）　eight　　九　jiǔ（数）nine　　十　shí（数）ten

三、常用语　Common expressions

1. A：您 好。
   　Nín hǎo.
   B：你 好。
   　Nǐ hǎo.

2. A、B：老师 好。
   　　　Lǎoshī hǎo.
   C：你们 好。
   　Nǐmen hǎo.

3. A：谢谢。
   　Xièxie.
   B：不客气。
   　Bú kèqi.

4．A:对 不 起。
　　　　Duì bu qǐ.

　B:没 关系。
　　　　Méi guānxi.

5．A:再见。
　　　　Zàijiàn.

　B:再见。
　　　　Zàijiàn.

四、语音注释　About Chinese phonetics

1．轻声　The neutral tone

汉语普通话里有一些音节读得又轻又短,叫做轻声。轻声不标调号,如:māma。

Some syllables in the Chinese Putonghua are pronounced light and short, and are hence referred to as neutral syllables. A neutral syllable does not use the tone marker, e.g. "māma".

2．声调位置　Where to place the tone marker

一个音节只有一个元音时,声调符号标在元音上;有两个或两个以上元音时,声调符号标在主要元音(即响度大的元音)上。如:mā、gé、dǎo、zuò 。元音 i 上有声调符号时,要去掉 i 的小点儿,如:mǐ。i 和 u 并列时,声调标在后面的字母上,如:diū、zhuī。

When there is only one vowel in a syllable, the tone marker is written above that vowel; where there are two or more vowels in a syllable, it is placed above the main vowel——the one that is pronounced louder and more distinct, e.g. mā, gé, dǎo, and zuò. The dot in the vowel "i" is omitted when it bears a tone marker, e.g. mǐ. In cases where i and u appear simultaneously in a syllable, the tone marker falls on the one that comes second, as in "diū" and "zhuī".

3．变调　Changes of the tones

(1) 两个第三声音节连在一起时,前一个要读成第二声,如:nǐ hǎo→ní hǎo。

When two third-tone syllables come in succession, the first one changes to second tone, e.g. nǐ hǎo→ní hǎo.

(2) 第三声字在第一、二、四和大部分轻声字前时要变成"半三声",即只读原来第三声的前一半降调,如:nǐmen→nǐmen。

When preceding a first, second or fourth-tone character, or most of the characters of the neutral tone, a third-tone character changes to semi-third tone, i.e. only the falling half of the third tone is pronounced, e.g. nǐmen→nǐmen.

(3)"一"和"不"的变调

The changes of the tones for "一" and "不".

"一"和"不"在第四声字或由第四声变来的轻声字前读第二声,如 yíxià、bú kèqi;"一"在第一、二、三声字前读第四声,如:yìtiān、yìnián、yìqǐ;"不"在第一、二、三声字前仍读第四声,如:bù tīng、bù dú、bù xiě。

When preceding fourth-tone characters or neutral-tone characters derived from fourth-tone characters, "一" and "不" change to the second tone, e. g. yíxià, bú kèqi; "一" changes to the fourth tone when it occurs before first, second and third-tone characters, e. g. yìtiān, yìqǐ; "不" remains as a fourth-tone character when it occurs before first, second and third-tone characters, e. g. bù tīng, bù dú, bù xiě.

4．拼写规则　Spelling rules

(1) i 自成音节时写成 yi

i is written as yi when it forms a syllable by itself.

u 自成音节时写成 wu

u is spelt as wu when it forms a syllable on its own.

ü 自成音节时写成 yu

ü is spelt as yu as a syllable.

(2)　ia　ie　iao　iou　ian　in　iang　ing　iong　自成音节时写成

　　　　ya　ye　yao　you　yan　yin　yang　ying　yong

ia, ie, iao, iou, ian, in, iang, ing and iong are written respectively as ya, ye, yao, you, yan, yin, yang, ying and yong when they form syllables by themselves.

ua　uo　uai　uei　uan　uen　uang　ueng　自成音节时写成

wa　wo　wai　wei　wan　wen　wang　weng

ua, uo, uai, uei, uan, uen, uang and ueng are spelt as wa, wo, wai, wei, wan, wen, wang and weng respectively when standing alone as syllables.

üe　üan　ün 自成音节时写成　yue　yuan　yun

üe, üan and ün are spelt as yue, yuan and yun when forming syllables on their own.

(3) ü 及由 ü 开头的韵母和 j、q、x 相拼时,ü 上边的两点省去,如:jù、què。

In syllables composed of the initials j, q, and x and the final ü or finals consisting of ü, the two dots in ü, are omitted, e.g. jù and què.

(4) iou 前边有声母时写成 iu,如：liú、niú。

　　uei 前边有声母时写成 ui,如：duì、cuī。

　　uen 前边有声母时写成 un,如：zhǔn、sūn。

When preceded by an initial, iou is spelt as iu, e.g. liú and niú; uei is spelt as ui, e.g. duì and cuī; and uen is spelt as un, e.g. zhǔn and sūn.

(5) 以 a、o、e 开头的音节连接在其他音节后面时要用隔音符号（'）隔开,如：pí'ǎo Tiān'anmén。

When a syllable that begins with a, o or e is preceded by another syllable, there should be a syllable marker (') to indicate the boundary between the two syllables, e.g. pí'ǎo and Tiān'ānmén.

5．儿化　Retroflexion
er 可以和其他韵母结合成一个儿化韵母。儿化韵母的写法是在原韵母之后加 r,如：nàr、huār。

A retroflex final is formed by combining er with another final. It is spelt with r added at the end of the original final.

五、综合练习　Comprehensive exercises

一、看图说话 **Make up dialogues according to the pictures.**

1. A:老师好!

　　B:＿＿＿＿＿＿＿＿＿!

2. A: 对不起!

B: _____!

3. A: 谢谢你!

B: _____!

二、连线　Match the two columns.

1. 老师好!　　　　　　A. 不客气。

2. 谢谢你!　　　　　　B. 你们好!

3. 对不起!　　　　　　C. 没关系。

4. 大家好!　　　　　　D. 你好!

三、看图说动作　**Look at the pictures and say what they are doing.**

四、两个学生，一个人说动词，一个人做动作

　　Work in pairs. One student says the following verbs and the other acts them out.

　　　看　　说　　听　　写　　读

1. nǐ　wǒ　tā　hǎo　kàn　tīng　shuō　dú　xiě　hàn　péng　shū　zuò　lǎoshī
   péngyou　hànyǔ　shēngcí　kèwén　hànzì　hēibǎn　liànxí　zuòyè　wèntí　huídá

2. tóngwū　sùshè　jiàoshì　shítáng　cāntīng　bàngōngshì　yínháng　yóujú　diànyǐngyuàn
   gōngsī　shāngdiàn　yīyuàn

3. lái　qù　chī　hé　mài　shì　jiào

4. yìtiān　yìnián　yìbǎ　yíge　bùshuō　bùnán　bùhǎo　búcuò

课堂用语　Classroom expressions

我 说，你们 听。
Wǒ shuō, nǐmen tīng.
Listen while I speak.

请 跟 我 读。
Qǐng gēn wǒ dú.
Please read after me.

我 问，你们 回答。
Wǒ wèn, nǐmen huídá.
I ask questions and you answer them.

您身体好吗

How is your health?

一、典型句 Typical sentence patterns

1. ······ 身体 好 吗 ？
   ······ shēntǐ hǎo ma ?

   您
   Nín

   你 爸爸 妈妈
   Nǐ bàba māma

2. ······ 怎么样？
   ······ zěnmeyàng?

   你 学习
   Nǐ xuéxí

   你 身体
   Nǐ shēntǐ

3. ······ 最近 工作 忙 吗 ？
   ······ zuìjìn gōngzuò máng ma ?

   你
   Nǐ

   你们
   Nǐmen

4. ······ 好 吗 ？
   ······ hǎo ma ?

   你 爱人 和 孩子
   Nǐ àiren hé háizi

   你
   Nǐ

11

5. 请 代 我 问 …… 好 。
   Qǐng dài wǒ wèn …… hǎo .

他们
tāmen

你 爸爸 妈妈
nǐ bàba māma

二、课文　Text

1. (在外地上大学的小张给家里打电话,妈妈接电话)　**Xiao Zhang is studying at college away from his hometown. He is phoning home, and his mother is answering the phone.**

小　张 ：您 身体 好 吗 ？
Xiǎo Zhāng : Nín shēntǐ hǎo ma ?

妈妈 　 ： * 不错。你 呢 ？
māma 　 ： 　 Búcuò. Nǐ ne?

小　张 ：我 也 挺 好 的 。
Xiǎo Zhāng : Wǒ yě tǐng hǎo de.

妈妈 　 ：你 学习 怎么样 ？
māma 　 ： Nǐ xuéxí zěnmeyàng?

小　张 ：还 行 。
Xiǎo Zhāng : Hái xíng.

2. (小王在路上遇见了朋友小李)　**In the street Xiao Wang runs into Xiao Li, a friend of his.**

小　王 ：好 久 不 见 ，
Xiǎo Wáng : Hǎo jiǔ bú jiàn ,

　　　　　你 最近 工作
　　　　　nǐ zuìjìn gōngzuò

12

忙　吗？
máng ma？

小　李　　：挺　忙　的。你　呢？
Xiǎo Lǐ　　：Tǐng máng de. Nǐ ne?

小　王　　：不　太　忙。　你　爱人　和　孩子　都　好　吗？
Xiǎo Wáng：Bú tài máng. Nǐ àiren hé háizi dōu hǎo ma？

小　李　　：都　挺　好　的。
Xiǎo Lǐ　　：Dōu tǐng hǎo de.

小　王　　：请　代　我　问　他们　好。
Xiǎo Wáng：Qǐng dài wǒ wèn tāmen hǎo.

三、生词　New words

1. 身体	shēntǐ	（名）	body, health
2. 好	hǎo	（形）	good, well, fine
3. 吗	ma	（助）	*a modal particle*
4. 不错	búcuò	（形）	not bad
5. 呢	ne	（助）	*a modal particle*
6. 也	yě	（副）	too, also, either
7. 挺……（的）	tǐng……(de)	（副）	quite
8. 学习	xuéxí	（动、名）	to learn; study
9. 怎么样	zěnmeyàng	（代）	how
10. 还行	háixíng		not bad, OK
11. 好久	hǎojiǔ	（名）	a long time
12. 不	bù	（副）	no, not
13. 见	jiàn	（动）	to see, to meet

13

	（好久不见）	（hǎo jiǔ bú jiàn）		（long time no see）
14.	最近	zuìjìn	（名）	recently
15.	工作	gōngzuò	（动、名）	to work; work, job
16.	忙	máng	（形）	busy
17.	太	tài	（副）	too, very
18.	爱人	àiren	（名）	wife or husband
19.	和	hé	（连）	and, with
20.	孩子	háizi	（名）	child
21.	都	dōu	（副）	all
22.	请	qǐng	（动）	please
23.	代	dài	（介）	for
24.	问好	wèn hǎo		say hello

四、注释　Notes

不错, 你呢?

语气词"呢"用在句尾可以构成表示承前省略的疑问句。

An abbreviated question is formed by placing the modal particle "呢" at the end of a sentence. The content of the question depends on the pretext, e.g.

例如：(1) A：你忙吗？

　　　　B：我不太忙。你呢？（你忙吗？）

　　　(2) A：你身体怎么样？

　　　　B：挺好的。你呢？（你身体怎么样？）

五、语言点　Language points

1. 形容词谓语句　Sentences with an adjectival predicate

汉语的形容词可以做谓语。

14

In Chinese adjectives can function as predicates, e.g.

例如:(1) 妈妈好吗?

(2) 工作很(hěn, very)忙。

一般不说   It is ungrammatical to say:

* 妈妈是很好。

* 他是挺好的。

形容词一般不单独做谓语,如果单独做谓语时,前面常带副词或表示对举的意思。

Note that in normal cases an adjective does not function as predicate by itself. It will take an adverbial before it, otherwise it connotes contrast, e.g.

例如:(1) 爸爸忙,妈妈不忙。

(2) 他们都很好。

2. 疑问句 "……吗?" Interrogative sentences "……吗?"

疑问代词"吗"加在陈述句后可以构成一般是非问句。回答是非问句时不一定要用"是"或"不是"。

A yes-no question is formed by adding the interrogative word "吗" at the end of a statement. A yes-no question is not necessarily answered with "是" or "不是", e.g.

例如:(1) A:你忙吗?

B:我挺忙的。/我不太忙。

(2) A:你是老师吗?

B:我是老师。/我不是老师。

注意:如果使用肯定或否定词语回答时,应这样说:

Notice that when it is necessary to use an affirmation or a negation word to answer a question of this kind, here is the right way to say so.

A:你不忙吗?

B:不,我很忙。/对,我不忙。

六、语言点练习 Exercises concerning the language points

一、把下列肯定句改成用"吗"的疑问句

Use the word "吗" to turn the following affirmative sentences into questions.

例:我身体不错。

你身体好吗?

1. 我很好。

2. 他最近挺忙的。

3. 我学习不错。

4. 我爱人和孩子都挺好的。

5. 他工作挺忙的。

二、判断正误并改正

Decide if the following sentences are grammatical and make corrections where necessary.

1. 他身体是好。

2. 我不工作忙。

3. 都我和孩子挺好的。

4. 他很好,谢谢。

5. 我最近身体是不错。

6. 也他不太忙。

七、综合练习 Comprehensive exercises

一、看图说话,练习典型句

Make up dialogues according to the pictures and practise the typical sentence patterns.

1. 两个同学在路上互致问候。

A:＿＿＿＿＿＿＿＿。

(好、忙)

B:＿＿＿＿＿＿＿＿。

(紧张 jǐnzhāng, busy)

2. 一个在外地学习的孩子给妈妈打电话。问身体和学习的情况。

A:＿＿＿＿＿＿＿＿＿＿＿。

（最近、身体、爸爸）

B:＿＿＿＿＿＿＿＿＿＿＿。

（学习、紧张、忙）

3. 两个朋友互相问工作的情况。

A:＿＿＿＿＿＿＿＿＿＿＿。

（工作、忙）

B:＿＿＿＿＿＿＿＿＿＿＿。

（紧张）

4. 丈夫打电话给妻子,问家里的情况。

A:＿＿＿＿＿＿＿＿＿＿＿。

（妈妈、身体）

B:＿＿＿＿＿＿＿＿＿＿＿。

（挺、你）

A:＿＿＿＿＿＿＿＿＿＿＿。

（还行、工作、孩子）

B:＿＿＿＿＿＿＿＿＿＿＿。

17

二、替换练习　Substitution exercises

1．A：您身体好吗？

　　B：不错。你呢？

　　A：我也挺好的。

　　B：你学习怎么样？

　　A：还行。

替换词语　Substitute words and phrases

工作 家里 (jiāli, family)	很 (hěn, very) 好 很忙 很紧张 (jǐnzhāng, busy) 都很好

2．A：好久不见，你最近怎么样？

　　B：挺忙的。你呢？

　　A：不太忙。你爱人和孩子都

　　　好吗？

　　B：都挺好的。

　　A：请代我问他们好。

替换词语　Substitute words and phrases

累（lèi，tired）、紧张（jǐnzhāng, busy）、好

三、完成会话　Complete the dialogues.

1．A：你好！好久不见了。_____的吧？

　　B：我还行。_____。

　　A：我们很忙。你_____？

　　B：谢谢，他们都很好。

2．A：_____？

　　B：他身体很好。

　　A：妈妈呢？

　　B：_____。

补充句子 Supplementary sentences

1. 你 学习 紧张 吗?
   Nǐ xuéxí jǐnzhāng ma?
   Are you busy with your study?

2. 你 工作 累 不 累?
   Nǐ gōngzuò lèi bu lèi?
   Is your work tiring?

3. 你 工作 顺利 吗?
   Nǐ gōngzuò shùnlì ma?
   How are you getting on with your work?

4. 在 那儿 过 得 好 吗?
   Zài nàr guò de hǎo ma?
   How are you getting on there?

5. 你们 全家 都 好 吧?
   Nǐmen quánjiā dōu hǎo ba?
   How is everyone in your family?

6. 还 可以。
   Hái kěyǐ.
   Not bad.

7. 还 是 老 样子?
   Hái shì lǎo yàngzi?
   Same as usual.

8. 你 放 心 吧，我们 都 挺 好 的。

Nǐ fàng xīn ba, wǒmen dōu tǐng hǎo de.

Don't worry. We are all fine.

9. 别 担 心，家里一切 都 好。

Bié dān xīn, jiā li yíqiè dōu hǎo.

Don't worry. Everything is fine at home.

课堂用语 Classroom expressions

请 跟 我 说。

Qǐng gēn wǒ shuō.

Please say after me.

请 看 黑板。

Qǐng kàn hēibǎn.

Please look at the blackboard.

请 再 说/读 一 遍。

Qǐng zài shuō/dú yí biàn.

Please say/read it again.

第 3 课　Lesson Three

我来介绍一下儿

Let me make an introduction.

一、典型句　Typical sentence patterns

1. 我 自我 介绍 　 一下儿,
   Wǒ zìwǒ jièshào yíxiàr,

   我 姓 ……, 叫 ……。
   Wǒ xìng ……, jiào …….

> 赵/ 赵 朋
> Zhào/ Zhào Péng
>
> ……/……

2. 我 介绍 　一下儿 ……。
   Wǒ jièshào yíxiàr …….

> 我们 学校
> wǒmen xuéxiào
>
> 我们 班
> wǒmen bān

3. 我 来介绍 　一下儿, 这 是 ……。
   Wǒ lái jièshào yíxiàr, zhè shì …….

> 我 的 日本 朋友
> wǒ de Rìběn péngyou
>
> 我 姐姐 的 孩子
> wǒ jiějie de háizi

21

二、课文 Text

1.（老师跟学生第一天见面） The teacher meets the students for the first time.

老师 ：你们 好。我 自我介绍 一下儿，我 姓 赵， 叫 赵
lǎoshī ：Nǐmen hǎo. Wǒ zìwǒ jièshào yíxiàr,   wǒ xìng Zhào, jiào Zhào

朋，   是 这个 班 的 老师。
Péng, shì zhège bān de lǎoshī.

大卫 ：我 叫 大卫。我 是 英国   人。我 喜欢 学习，我 也
Dàwèi ：Wǒ jiào Dàwèi. Wǒ shì Yīngguó rén. Wǒ xǐhuan xuéxí, wǒ yě

喜欢 玩儿。我 希望   做 你们 的 朋友。
xǐhuan wánr. Wǒ xīwàng zuò nǐmen de péngyou.

2.（老师给学生介绍学校的情况） The teacher introduces the school to the students.

老师 ：我 介绍 一下儿 我们   学校。   我们   学校 很 大，
lǎoshī ：Wǒ jièshào yíxiàr   wǒmen xuéxiào. Wǒmen xuéxiào hěn dà,

有 很 多 中国   学生，   也 有 不少   留学生。
yǒu hěn duō Zhōngguó xuésheng,   yě yǒu bù shǎo liúxuéshēng.

欢迎   你们 来 这儿 学习，希望   你们 喜欢 这儿。
Huānyíng nǐmen lái zhèr xuéxí, xīwàng nǐmen xǐhuan zhèr.

3.（日本学生久美到中国朋友小刘家做客）

A Japanese student Jiumei pays a visit to her Chinese friend, Xiao Liu.

小 刘 ：（对妈妈）
Xiǎo Liú ：（To his mother）

* 我 来 介绍
Wǒ lái jièshào

一下儿，这 是 我 的
yíxiàr,   zhè shì wǒ de

日本 朋友   久美。
Rìběn péngyou Jiǔměi.

22

（对久美） 这 是 我 妈妈。
（To Jiumei）Zhè shì wǒ māma.

久美 ：您 好。
Jiǔměi ：Nín hǎo.

小 刘 的 妈妈：你 好。欢迎， 欢迎。 请坐。
Xiǎo Liú de māma：Nǐ hǎo. Huānyíng, huānyíng. Qǐngzuò.

（一个孩子从房间里跑出来）
（A child runs out of a room）

久美 ：这 是 谁？
Jiǔměi ：Zhè shì shuí?

小 刘 ：这 是 我 姐姐 的 孩子。
Xiǎo Liú ：Zhè shì wǒ jiějie de háizi.

三、生词　New words

1. 自我　　zìwǒ　　　　（代）　　　self

2. 介绍　　jièshào　　　（动）　　　to introduce

（自我介绍）(zìwǒ jièshào)　　　　　（self-introduction）

3. 一下儿　　　　　yíxiàr　　　briefly

4. 姓　　　xìng　　　　（动、名）　　to take the surname;

surname

5. 叫　　　jiào　　　　（动）　　　to be called

6. 是　　　shì　　　　（动）　　　to be

7. 这　　　zhè　　　　（代）　　　this

8. 个　　　gè　　　　（量）　　　*a measure word*

23

9. 班	bān	(名)	class
10. 的	de	(助)	*a particle*; of
11. 人	rén	(名)	man, people
12. 喜欢	xǐhuan	(动)	to like
13. 玩儿	wánr	(动)	to play
14. 希望	xīwàng	(动、名)	to hope, to wish; hope
15. 学校	xuéxiào	(名)	school, university
16. 很	hěn	(副)	very
17. 大	dà	(形)	big, large
18. 有	yǒu	(动)	to have, there is/are
19. 多	duō	(形)	many, much
20. 学生	xuésheng	(名)	student, pupil
21. 少	shǎo	(形)	few, little
22. 留学生	liúxuéshēng	(名)	foreign student
23. 欢迎	huānyíng	(动)	to welcome
24. 来	lái	(动)	to come
25. 这儿	zhèr	(代)	here
26. 坐	zuò	(动)	to sit
27. 谁	shuí	(代)	who
28. 姐姐	jiějie	(名)	elder sister

专名 Proper nouns

1. 赵	Zhào	a family name

24

2.	赵朋	Zhào Péng	name of a person
3.	大卫	Dàwèi	David
4.	英国	Yīngguó	England
5.	中国	Zhōngguó	China
6.	日本	Rìběn	Japan
7.	久美	Jiǔměi	name of a person

四、注释　Notes

我来介绍一下儿。

"来"在这儿的意思是"现在要做……"。

Here "来" means that someone is going to do something now.

例如:(1) 现在我来说一下儿。

(2) 你来念一下儿。

五、语言点　Language points

1. 结构助词"的"　The structural particle "的"

1) 代词和名词做修饰语表领属关系时,修饰语和中心语之间要加"的"。

When a pronoun or noun acts as a modifier to express a possessive relation, "的" should be used between the modifier and the head.

例如:(1) 我的朋友

(2) 我姐姐的孩子

(3) 这个学校的老师

(4) 我们学校

一般不说　Usually we do not say:

　＊ 我姐姐孩子

　＊ 这个学校老师

2) 描写性的形容词修饰语和中心语之间要加"的"。

"的" should be used between a descriptive adjectival modifier and the head.

例如:(1) 很好的老师

(2) 很大的学校

不说　We do not say:

　　* 很好老师

　　* 很大学校

3) 动词、动词性结构、介词结构等短语做修饰语时,修饰语和中心语之间要加"的"。

When a verb, a verb phrase or a prepositional phrase acts as a modifier, "的" should be used between the modifier and the head.

　　例如:(1) 问的问题

　　　　(2) 看的书

　　　　(3) 来这儿学习的学生

4) 可以用作分类标准的名词性成分,修饰语和中心语之间不用加"的"。

When a noun phrase refers to one of the categories classified, "的" need not be used between the modifier and the head.

　　例如:(1) 好老师

　　　　(2) 汉语书

　　　　(3) 英国人

5) 代词所修饰的中心语是指亲友或所属单位时,修饰语和中心语之间不用加"的"。

When a head modified by a pronoun refers to one's relatives, friends, or the institution one belongs to, "的" need not be used between the modifier and the head.

　　例如:(1) 我们学校

　　　　(2) 我爸爸

　　　　(3) 我朋友

2. V+一下儿

"一下儿"在动词后常表示"短时、轻微、少量"的意思。

"一下儿" usually means briefly, slightly, or a little bit when used after a verb.

　　例如:(1) 我介绍一下儿。

　　　　(2) 你看一下儿。

注意:"V+一下儿"没有否定形式。

Note: There is no negative form for "V+一下儿".

不说　We do not say:

　　　* 你不介绍一下儿。

　　　* 我不看一下儿。

26

六、语言点练习　Excercises concerning the language points

一、用下面的词组成句子　Use the following words and expressions to form sentences.
例：老师　这个班
　　　我是这个班的老师。

　　　1. 朋友　　　　你们的
　　　2. 我　　　　　日本朋友
　　　3. 我姐姐　　　孩子
　　　4. 学校　　　　我们
　　　5. 爱人　　　　美子
　　　6. 学生　　　　这个班
　　　7. 谁　　　　　这个孩子

二、用"V－下儿"完成句子　Use "V－下儿" to complete the following sentences.
　　　1. 这是你的书吗？我 _____（看）。
　　　2. 我 _____（介绍），这是我的老师。
　　　3. 美子，你来 _____（读）生词。
　　　4. 你 _____（听），这是谁？
　　　5. 我们 _____（做）练习。

七、综合练习　Comprehensive exercises

一、看图说话　Complete the dialogues according to the pictures.

　　　1. 我介绍一下儿，

　　　　这是 _____。

2. 我介绍一下儿，

这是_____。

3. 我介绍一下儿，

这是_____。

4. 我介绍一下儿，

这是_____。

二、替换练习　Substitution exercises

1. A:你们好。请自我介绍一下儿。

　 B:我是<u>英国人</u>。我是<u>语言大学的学生</u>。

替换词语　Substitute words and phrases

法国(Fǎguó, Franc)人	北京大学(Běijīng Dàxué, Beijing University)
德国(Déguó, Germany)人	的学生
日本(Rìběn, Japan)人	研究生(yánjiūshēng, postgraduate)
韩国(Hánguó, Korea)人	公司职员(gōngsī zhíyuán, company employee)
泰国(Tàiguó, Thailand)人	公司经理(jīnglǐ, manager)
印尼(Yìnní, Indonesia)人	大夫(dàifu, doctor)
美国(Měiguó, America)人	
意大利(Yìdàlì, Italy)人	

2. 我介绍一下儿我们<u>学校</u>。我们<u>学校</u>很大,有很多<u>中国学生</u>,也有不少<u>留学生</u>。

替换词语　Substitute words and phrases

公司(gōngsī, company)	本国(běnguó, native)职员(zhíyuán, employee)
工厂(gōngchǎng, factory)	外国(wàiguó, foreign)员工(yuángōng, employee)

三、完成会话　Complete the dialogues.

1. A:我介绍一下儿,＿＿＿＿＿＿＿＿＿＿＿＿＿＿。

　 B:你好! 我叫＿＿＿＿＿＿＿＿＿＿＿＿。

　 C:认识(rènshi, to know)您,很高兴(gāoxìng, happy)。

　 B:＿＿＿＿＿＿＿＿＿＿＿＿。

2. A:这就(jiù, just)是你们学校吗?

　 B:对(duì, yes),我们学校＿＿＿＿＿＿＿＿＿,有＿＿＿＿＿＿＿＿＿,也有

　　＿＿＿＿＿＿＿＿＿。

　 A:你们学校很大吧?

B：是的。你看，那(nà, that)是＿＿＿＿＿＿＿＿＿＿。

四、说话 Talk.

1. 请做一下儿自我介绍。

2. 请介绍一下儿你们公司。

3. 请介绍一下儿你们班。

4. 请介绍一下儿你的朋友。

补充句子 Supplementary sentences

1. 这个 人 是 谁？
   Zhège rén shì shuí?
   Who is this?

2. 我 来自我介绍 一下儿。
   Wǒ lái zìwǒ jièshào yíxiàr.
   Let me introduce myself.

3. 请 你们 做 个 自我 介绍。
   Qǐng nǐmen zuò ge zìwǒ jièshào.
   Please introduce yourselves.

4. 你们 认识 吗？
   Nǐmen rènshi ma?
   Do you know each other?

5. 你们 认识 一下儿。

Nǐmen rènshi yíxiàr.

Let me introduce you to each other.

6. 我 给 你 介绍 一下儿。

Wǒ gěi nǐ jièshào yíxiàr.

Let me make an introduction for you.

课堂用语 Classroom expressions

请 你念 这个 句子。

Qǐng nǐ niàn zhège jùzi.

Read this sentence please.

请 打开 书，翻 到 第5 页。

Qǐng dǎkāi shū, fān dào dì-wǔ yè.

Please open your books to page 5.

现在 念 生词。

Xiànzài niàn shēngcí.

Now read the new words.

第 4 课　Lesson Four

您贵姓
What's your family name?

一、典型句　**Typical sentence patterns**

1. 您 贵 姓?
   Nín guì xìng?

2. …… 叫 什么 名字?
   …… jiào shénme míngzi?

3. …… 是 哪 国 人?
   …… shì nǎ guó rén?

4. …… 住 哪儿?
   …… zhù nǎr?

5. …… 的 电话 号码 是 多少?
   …… de diànhuà hàomǎ shì duōshao?

6. …… 家 有 几 口 人?
   …… jiā yǒu jǐ kǒu rén?

7. …… 家 都 有 什么 人?
   …… jiā dōu yǒu shénme rén?

你
Nǐ

他
Tā

你 朋友
Nǐ péngyou

二、课文 Text

1.（在教室） In the classroom

学生　　 : 请 问， 您 贵 姓?
xuésheng : Qǐng wèn, nín guì xìng?

老师　　 : 我 姓 孙。你 叫 什么 名字?
lǎoshī　 : Wǒ xìng Sūn. Nǐ jiào shénme míngzi?

学生　　 : 我 叫 林 路。
xuésheng : Wǒ jiào Lín Lù.

老师　　 : 你 是 哪 国 人?
lǎoshī　 : Nǐ shì nǎ guó rén?

学生　　 : 我 是 泰国 人。
xuésheng : Wǒ shì Tàiguó rén.

2.（林路的新朋友询问林路的住址和电话）

LinLu's new friend is asking for his address and telephone number.

朋友　　: 你 住 哪儿?
péngyou : Nǐ zhù nǎr?

林 路　 : 留学生 　 宿舍 14 楼 3 1 2 　 号 房间。
Lín Lù　 : Liúxuéshēng sùshè shísì lóu sān yāo èr hào fángjiān.

朋友　　: 你 的 电话 　 号码 是 多少?
péngyou : Nǐ de diànhuà hàomǎ shì duōshao?

林 路　 : 8 2 3 0 7 4 5 9。
Lín Lù　 : Bā èr sān líng qī sì wǔ jiǔ.

朋友　　: 对 不 起, 请 再 说 一 遍。
péngyou : Duì bu qǐ, qǐng zài shuō yí biàn.

3. （在中国朋友家） **At the home of a Chinese friend**

林 路 Lín Lù	：你家有 几 口 人？ ：Nǐ jiā yǒu jǐ kǒu rén?
中国　　　朋友 Zhōngguó péngyou	：四 口。你家 都 有 什么 人？ ：Sì kǒu. Nǐ jiā dōu yǒu shénme rén?
林 路 Lín Lù	：爸爸、妈妈 和 我。 ：Bàba、māma hé wǒ.
中国　　　朋友 Zhōngguó péngyou	：*你没有 兄弟 姐妹 吗？ ：　Nǐ méiyǒu xiōngdì jiěmèi ma?
林 路 Lín Lù	：没有。 我 是 独生子。 ：Méiyǒu. Wǒ shì dúshēngzǐ.

4. 读一读 **Read the following sentences.**

我 有 一 个 中国
Wǒ yǒu yí ge Zhōngguó

朋友。 他 在 我们
péngyou. Tā zài wǒmen

学校 学习 英语。他 是
xuéxiào xuéxí Yīngyǔ. Tā shì

北京 人。他 有 一 个
Běijīng rén. Tā yǒu yí ge

弟弟。 他 弟弟 也 是
dìdi. Tā dìdi yě shì

大学生。
dàxuéshēng.

三、生词　New words

1. 请问　qǐng wèn　　　　　　　please (tell me),

　　　　　　　　　　　　　　　could you (tell me...)

2. 贵姓　guì xìng　　　　　　　What's your family name, please

3. 什么　shénme　（代）　what

4. 名字　míngzi　（名）　name

5. 哪　nǎ　（代）　which

6. 国　guó　（名）　country

7. 住　zhù　（动）　to live

8. 哪儿　nǎr　（代）　where

9. 宿舍　sùshè　（名）　dormitory

10. 楼　lóu　（名）　building

11. 号　hào　（名）　number

12. 房间　fángjiān　（名）　room

13. 电话　diànhuà　（名）　telephone

14. 号码　hàomǎ　（名）　number

15. 多少　duōshao　（代）　how many, how much

16. 再　zài　（副）　again

17. 遍　biàn　（量）　*a measure word*

18. 家　jiā　（名）　home, family

35

19. 几	jǐ	(代)	what, how many
20. 口	kǒu	(量、名)	*a measure word*
21. 没	méi	(副)	not
22. 兄弟	xiōngdì	(名)	brothers
23. 姐妹	jiěmèi	(名)	sisters
24. 独生子	dúshēngzǐ	(名)	the only child(male)
25. 在	zài	(介、动)	in, at; to be at
26. 英语	Yīngyǔ		English
27. 弟弟	dìdi	(名)	younger brother
28. 大学生	dàxuéshēng	(名)	college student, undergraduate

专名　Proper nouns

1. 孙	Sūn	a family name
2. 林路	Lín Lù	name of a person
3. 泰国	Tàiguó	Thailand
4. 北京	Běijīng	Beijing

四、注释　Notes

你没有兄弟姐妹吗? Do you have brothers or sisters?

动词"有"的否定形式是"没有"。The negative form of the verb "有" is "没有"。

例如:(1) 我有中国朋友。

　　　(2) 我没有中国朋友。

五、语言点 Language points

1. 疑问代词 Interrogative pronouns

汉语里疑问代词主要有:"什么、哪、几、怎么、谁、哪儿、多少"等。疑问代词可以帮助构成特指疑问句。疑问代词不改变句子的语序。

In Chinese, interrogative pronouns mainly include "什么", "哪", "几", "怎么", "谁", "哪儿", "多少", etc. Interrogative pronouns can be used to form special questions without changing the word order of the original sentences

例如:(1) 这是什么?

(2) 你叫什么名字?

(3) 14 楼在哪儿?

(4) 你的电话号码是多少?

不说　We do not say:

＊ 什么名字你叫?

＊ 哪儿在 14 楼?

＊ 什么这是?

2. 介词"在"　The preposition "在"

介词"在"和处所名词一起在动词前可以构成状语,说明动作发生的处所。

The preposition "在" followed by a locative noun can be used preverbally as an adverbial indicating where an action takes place.

常用句式:Sentence pattern

在＋处所＋V

例如:(1) 我在北京学汉语。

(2) 我在留学生宿舍住。

不说　We do not say:

＊ 我学习在北京。

37

六、语言点练习 Exercises concerning the language points

一、把下面的句子改成疑问句 Turn the following sentences into questions.

例:我姓<u>孙</u>。

你姓什么?

1. 我叫<u>林国</u>。

2. 他是<u>日本</u>人。

3. 林路住<u>留学生宿舍 8 楼 428 号房间</u>。

4. 我的电话号码是<u>82301876</u>。

5. 孙本家有<u>五</u>口人。

6. 赵朋是<u>北京</u>人。

二、组句 Form sentences.

例:汉语　在　中国　他　学习

他在中国学习汉语。

1　我　学校　住　在

2　姐姐　家　在　看　书

3　他　房间　写　汉字　在

4　我　朋友　作业　宿舍　在　写

5　他　房间　在　课文　念

七、综合练习　Comprehensive exercises

一、看图说话,练习典型句

Make up dialogues according to the pictures and practise the typical sentence patterns.

1. A:请问,您＿＿＿＿＿＿＿＿＿?

   B:我姓＿＿＿＿＿＿＿＿＿。

   A:你叫＿＿＿＿＿＿＿＿＿?

   B:我叫＿＿＿＿＿＿＿＿＿。

   A:你是＿＿＿＿＿＿＿＿＿?

   B:我是<u>日本人</u>。

2. A:你住哪儿?

   B:我住＿＿＿＿＿＿＿＿＿。

   A:你的电话号码是多少?

   B:＿＿＿＿＿＿＿＿＿。

   A:＿＿＿＿＿＿＿＿＿是多少?

   B:82303461。

   A:多少? 对不起,＿＿＿＿＿＿＿。

3. A:你家有几口人?

B:_____。

A:_____?

B:三口人。爸爸、……

A:你有没有……?

B:_____。我有_____。

A:_____?

B:没有。_____独生女(dúshēngnǚ, the only child 〈female〉)。

二、替换练习 Substitution exercises

1. A:你住哪儿?

B:留学生宿舍 14 楼 312 号房间。

A:你的电话号码是多少?

B:82307459。

替换词语 Substitute words and phrases

饭店(fàndiàn, hotel)	电子信箱(diànzǐ xìnxiāng, e-mail address)
宾馆(bīnguǎn, hotel)	传真(chuánzhēn, fax)
校内(xiàonèi, inside school)	网址(wǎngzhǐ, website)
校外(xiàowài, outside school)	

2. A:你家有几口人?

B:四口。

替换词语 Substitute words and phrases

五
三
两(liǎng, two)
七

3. A: 你家都有什么人?
   B: 爸爸、妈妈和我。
   A: 你没有兄弟姐妹吗?
   B: 没有。我是独生子。

替换词语　Substitute words and phrases

哥哥(gēge, elder brother) 弟弟 妹妹(mèimei, younger sister)
独生女(dúshēngnǚ, the only child〈female〉)

三、说话,选用下面的相关词语

Choose appropriate words and phrases from those given below and talk.

1. 介绍你的家庭　Introduce your family

爷爷(yéye, grandfather)　　奶奶(nǎinai, grandmother)　　爸爸　　妈妈

弟弟　　妹妹(mèimei, younger sister)　　哥哥(gēge, elder brother)

姐姐(jiějie, elder sister)　　独生女(dúshēngnǚ, the only child〈female〉)

独生子

2. 介绍你自己,用上课文里的句子

Use sentence patterns from the text to introduce yourself.

我姓……,我叫……。

我是……人。

我住……。

我家有……。

补充句子　Supplementary sentences

1. 你 在 学校　住 吗?
   Nǐ zài xuéxiào zhù ma?
   Do you live on campus?

2. 你 有 没有　e-mail?
   Nǐ yǒu méiyǒu e-mail?
   Do you have an e-mail address?

3. 我 有 一 个 哥哥、一 个 妹妹。

Wǒ yǒu yí ge gēge、yí ge mèimei.

I have a brother and a sister.

4. 我们 家 都 是 女/男孩儿。

Wǒmen jiā dōu shì nǚ/nánháir.

The children in my family are all girls/boys.

课堂用语 Classroom expressions

现在 听写。

Xiànzài tīngxiě.

Let's have a dictation now.

今天 的 作业 是 第7页, 练习 三。

Jīntiān de zuòyè shì dì-qī yè, liànxí sān.

The homework for today is Exercise 3 on Page 7.

请 复习 第4 课, 预习 第5 课 的 生词、 课文。

Qǐng fùxí dì-sì kè, yùxí dì-wǔ kè de shēngcí、kèwén.

Please review Lesson 4 and prepare the new words and the text of

Lesson 5.

第 5 课　Lesson Five

今天几号

What's the date today?

一、典型句　Typical sentence patterns

1. …… 几 号?
   …… jǐ hào?

今天 Jīntiān
明天 Míngtiān

2. …… 星期 几?
   …… xīngqī jǐ?

明天 Míngtiān
10 号 Shí hào

3. …… 是 几 月 几 号?
   …… shì jǐ yuè jǐ hào?

你 的 生日 Nǐ de shēngri
下 星期 五 Xià xīngqī wǔ

4. 哪 天 ……?
   Nǎ tiān ……?

上　听力课 shàng tīnglì kè
来 这儿 lái zhèr

43

5. 什么　时候……？
   Shénme shíhou……?

> 回　国
> huí guó
>
> 去　朋友　　家
> qù péngyou jiā

二、课文　Text

1.（小刘问同屋日期）　**Xiao Liu asks his roommate the date.**

小　　刘：今天　几　号？
Xiǎo Liú：Jīntiān jǐ　hào?

同屋　　：今天　2　号。
tóngwū　：Jīntiān èr hào.

小　　刘：明天　　星期　几？
Xiǎo Liú：Míngtiān xīngqī jǐ?

同屋　　：明天　　星期　三。
tóngwū　：Míngtiān xīngqī sān.

2.（小孙和朋友小李聊天）　**Xiao Sun is chatting with his friend Xiao Li.**

小　　孙：你的生日　是几月几号？
Xiǎo Sūn：Nǐ de shēngri shì jǐ　yuè jǐ　hào?

小　李：2 月 15　号。你的生日　呢？
Xiǎo Lǐ　：Èr yuè shíwǔ hào. Nǐ de shēngri ne?

小　　孙：4 月 8 号。
Xiǎo Sūn：Sì yuè bā hào.

小　李：4 月 8 号　是 不 是 下 星期　六？
Xiǎo Lǐ　：Sì yuè bā hào shì bu shì xià xīngqī liù?

44

小　孙 ：不是，是 下 星期日（天）。
Xiǎo Sūn：Bú shì, shì xià xīngqīrì（tiān）.

3.（马克是今天来的新学生） Mark is a new student who has just arrived today.

马克 ：老师， 我们　有 没有　听力 课？
Mǎkè ：Lǎoshī, wǒmen yǒu méiyǒu tīnglì kè?

老师 ：有。
lǎoshī：Yǒu.

马克 ：哪 天　上？
Mǎkè ：Nǎ tiān shàng?

老师 ：周　 三 和 周　 五。
lǎoshī：Zhōu sān hé zhōu wǔ.

4.（大卫和朋友聊天） David is chatting with his friend.

大卫　 ：今年　 7 月 你
Dàwèi ：Jīnnián qī yuè nǐ

　　　回 不 回 国？
　　　huí bu huí guó?

朋友　 ：不 回。我 要
péngyou：Bù huí. Wǒ yào

　　　在 这儿
　　　zài zhèr

　　　继续 学习。
　　　jìxù xuéxí.

大卫　 ：你 什么　 时候　回 国？
Dàwèi ：Nǐ shénme shíhou huí guó?

朋友　 ：明年　 2 月。
péngyou：Míngnián èr yuè.

5. 读一读 Read the following paragraph

刘 力 是 个 大学生，   她 学习 很 忙。 * 从 周 一
Liú Lì shì ge dàxuéshēng, tā xuéxí hěn máng.   Cóng zhōu yī

到 周 五 每 天 都 有 课。周末   有 时候 在 家 休息，有
dào zhuō wǔ měi tiān dōu yǒu kè. Zhōumò yǒu shíhou zài jiā xiūxi, yǒu

时候 跟 朋友   一起 玩儿。
shíhou gēn péngyou yìqǐ wánr.

三、生词 New words

1. 今天   jīntiān   （名）   today

2. 号   hào   （名）   date

3. 明天   míngtiān   （名）   tomorrow

4. 星期   xīngqī   （名）   week

5. 生日   shēngri   （名）   birthday

6. 月   yuè   （名）   month

7. 下   xià   （名）   next

8. 星期日(天)   xīngqīrì(tiān) （名）   Sunday

9. 听力   tīnglì   （名）   listening

10. 课   kè   （名）   lesson

11. 天   tiān   （名）   day

12. 上(课)   shàng(kè)   （动）   to have class

46

13.	周	zhōu	(名)	week
14.	今年	jīnnián	(名)	this year
15.	回	huí	(动)	to go back, to return
16.	要	yào	(能愿、动)	be going to, will; to want
17.	继续	jìxù	(动)	to continue, to go on
18.	时候	shíhou	(名)	time, hour
19.	明年	míngnián	(名)	next year
20.	从	cóng	(介)	from
21.	到	dào	(动)	to arrive
	(从……到)	(cóng……dào)		(from…to)
22.	每	měi	(代)	every, each
23.	周末	zhōumò	(名)	weekend
24.	有时候	yǒu shíhou		sometimes
25.	休息	xiūxi	(动)	to rest
26.	跟	gēn	(介)	with, to follow
27.	一起	yìqǐ	(副)	together, with
	(跟……一起)	(gēn……yìqǐ)		(together with …)

专名 Proper noun

刘力	Liú Lì	(人名)	name of a person

47

四、注释　Notes

1. 时间表达法　How to express time

汉语时间表达的顺序是从大到小,比如年、月、日的表达法是:

In Chinese time is expressed in the order of year, month and day.

1999 年 3 月 15 日　　　2001 年 5 月 8 日

2. 从周一到周五都有课　We have classes from Monday to Friday

"从……到……"结构可以用来表示时间。

The structure "从……到……" can be used to express time.

例如:(1) 从周一到周五都有课。

　　　(2) 从 8 号到 12 号我都很忙。

"从……到……"结构可以用来表示处所。

The structure "从……到……" can be used to indicate location.

例如:(1) 从北京到上海(Shànghǎi)要(yào, need)一天。

　　　(2) 从我们家到学校不远(yuǎn, far)。

"从……到……"结构可以用来表示范围。

The structure "从……到……" can be used to express a range.

例如:(1) 从学生到老师都很忙。

　　　(2) 从大人(dàren, adult)到孩子都喜欢他。

五、语言点　Language points

1. 名词谓语句　Nominal predicate sentences

汉语有顺序义的名词和名词性成分可以不用"是",直接做谓语,构成名词谓语句。名词谓语句常用来表示时间、年龄、籍贯、数量等。

In Chinese a sentence with a sequential noun or noun phrase rather than "是" acting as its predicate is called a nominal predicate sentence, which is often used to express time, age, native

48

place, amount, etc.

例如：(1) 今天四月十七号。

(2) 他十三岁。

(3) 明天星期三。

名词谓语句的肯定形式可以不用"是"，否定形式要用"不是"。

While "是" may be left out in the affirmative form of a nominal predicate sentence, "不是" must be used in its negative form.

例如：(1) 今天不是四月十七号。

(2) 他不是十三岁，他十四岁。

不说　We do not say:

＊ 他不十三岁。

＊ 今天不十七号。

2．正反疑问句　Affirmative-negative questions

动词或形容词的肯定与否定形式一起构成正反疑问句。

The affirmative form of a verb or adjective followed by its negative form makes an affirmative-negative question.

例如：(1) 今天有没有听力课？

(2) 他是不是学生？

(3) 你去不去学校？

(4) 他忙不忙？

回答选用正反问句中的一项：To answer an affirmative-negative question, either the affirmative form or the negative form may be used.

A：你忙不忙？

B：我很忙。/我不太忙。

不说　We do not say:

＊你是不是学生吗？

六、语言点练习 Exercises concerning the language points

一、用否定形式回答下面的问题 Use negative forms to answer the following questions.

例：今天 2 号吗？

今天不是 2 号。

1. 明天星期四吗？
2. 他是中国人吗？
3. 12 号周六吗？
4. 下星期天是不是 1 号？
5. 今天是 2 月 15 号吗？

二、把下面的句子变成用"吗"的问句和正反疑问句

Turn the following sentences into questions with "吗" and affirmative-negative questions.

例：今天 3 号。

今天 3 号吗？

今天是不是 3 号？

1. 他的生日是 5 月 4 号。
2. 我们没有听力课。
3. 他 8 月 20 号回国。
4. 今天我休息。
5. 她学习很忙。
6. 小明是他的朋友。
7. 他家有四口人。

七、综合练习　Comprehensive exercises

一、看图说话　Make up dialogues according to the pictures

1. A: 今天几号？

    B: _____。

    A: _____？

    B: 明天星期_____。

```
┌─────────────────────────────┐
│ 2001 年              ██  ██  │
│ 7 月 大             ██  ██   │
│ 星 期 二          ██  ██     │
│ 辛巳年　二  十　　五月大      │
│ 大暑：公历 7 月 23 日　农历六月初三│
│                              │
│ 记事：                       │
│                              │
│         ─────────────────    │
│    姓名：_____     │
│    地址：_____     │
│    电话：_____     │
└─────────────────────────────┘
```

2. A: _____？

    B: _____星期_____。

    A: _____？

    B: 明天_____。

```
┌─────────────────────────────┐
│ 2001 年              ██  ██  │
│ 11 月 小            ██  ██   │
│ 星 期 五          ██  ██     │
│ 辛巳年　初  二　　十月大      │
│ 小雪：公历 11 月 22 日　农历十月初八│
│                              │
│ 记事：                       │
│                              │
│         ─────────────────    │
│    姓名：_____     │
│    地址：_____     │
│    电话：_____     │
└─────────────────────────────┘
```

51

3. A:五月一号星期几?

   B:＿＿＿＿＿＿＿＿＿。

   A:这个星期六是几号?

   B:＿＿＿＿＿＿＿＿＿。

   A:五月六号是星期几?

   B:＿＿＿＿＿＿＿＿＿。

2001 年
5 月 大
星 期 二
1
辛巳年　初 九　四月大
立夏:公历 5 月 5 日　　农历四月十三
国际劳动节
记事:＿＿＿＿＿＿＿＿＿＿

姓名:＿＿＿＿＿＿＿＿＿＿
地址:＿＿＿＿＿＿＿＿＿＿
电话:＿＿＿＿＿＿＿＿＿＿

	星期一	星期二	星期三	星期四	星期五
一	听力	口语 (kǒuyǔ, oral class)	听力	口语	综合
二	听力	口语	听力	口语	综合
三	综合 (zōnghé, comprehensive class)	综合	综合	综合	口语
四	综合	综合	综合	综合	口语

4. A:今天有没有＿＿＿＿＿＿课?

   B:＿＿＿＿＿＿＿＿＿。

   A:哪天有＿＿＿＿＿＿课?

   B:＿＿＿＿＿＿＿＿＿。

   A:什么时候上＿＿＿＿＿课?

   B:＿＿＿＿＿＿＿＿＿。

二、替换练习　Substitution exercises

1. A:今天几号?　　　　替换词语　Substitute words and phrases

   B:今天 2 号。

   明天
   后天(hòutiān, the day after tomorrow)
   大后天(dàhòutiān, four days from today)
   昨天(zuótiān, yesterday)
   前天(qiántiān, the day before yesterday)
   大前天(dàqiántiān, two days before yesterday)

2．A：你的生日是几月几号？

B：2月15号。你的生日呢？

A：4月8号。

B：4月8号是不是下星期六？

A：不是，是下星期日(天)。

替换词语　Substitute words and phrases

新年(xīnnián, New Year)

春节(Chūn Jié, the Spring Festival)

圣诞节(Shèngdàn Jié, the Christmas)

国庆节(Guóqìng Jié, the National Day)

元旦(Yuándàn, the New Year's Day)

中秋节(Zhōngqiū Jié, the Mid-Autumn Festival)

元宵节(Yuánxiāo Jié, the Lantern Festival)

端午节(Duānwǔ Jié, the Dragon Boat Festival)

3．A：老师，我们有没有听力课？

B：有。

A：哪天上？

B：周三和周五。

替换词语　Substitute words and phrases

口语课(kǒuyǔ kè, oral class)

综合课(zōnghé kè, comprehensive class)

汉字课

阅读课(yuèdú kè, reading class)

报刊课(bàokān kè, press class)

写作课(xiězuò kè, writing class)

三、回答问题　Answer the following questions.

1．今天几号？　　　　　　　2．明天星期几？

3. 你的生日是几月几号？   4. 星期天是几号？

5. 哪天有听力课？   6. 你什么时候回国？

7. 周末你在家做什么？

补充句子 **Supplementary sentences**

1. 后天　不是 5 号。

Hòutiān bú shì wǔ hào.

It's not the 5th the day after tomorrow.

2. 我们　周　二 和 周　四 有　口语　课。

Wǒmen zhōu èr hé zhōu sì yǒu kǒuyǔ kè.

We have oral classes on Tuesday and Thursday.

3. 明天　星期　六，我们　不上　课。

Míngtiān xīngqī liù, wǒmen bú shàng kè.

Tomorrow will be Saturday. We will not have any classes.

4. 这个　月 有　多少　天？

Zhège yuè yǒu duōshao tiān?

How many days are there in this month?

5. 中国　的 教师　节 是 哪天？

Zhōngguó de Jiàoshī Jié shì nǎ tiān?

Which day is the Teacher's Day in China?

6. 再 过 三 天　就 是 新年　了。

Zài guò sān tiān jiù shì xīnnián le.

The New Year will come in three days.

7. 我 的 生日　不 是 3　月 5　号。

Wǒ de shēngri bú shì sān yuè wǔ hào.

My birthday is not March 5th.

8. 下午　他们　没有　　课。

Xiàwǔ tāmen méiyǒu kè.

They have no classes in the afternoon.

课堂用语　Classroom expressions

上　　课 了。

Shàng kè le.

It's time for class.

下　课 了。

Xià kè le.

Class is over.

现在　　休息 一会儿。

Xiànzài xiūxi yíhuìr.

Let's have a break now.

请　　问，这个　字 怎么　念/写?

Qǐng wèn, zhège zì zěnme niàn/xiě?

Excuse me, how to pronounce/write this word please?

55

第 6 课　Lesson Six

现在几点

What time is it now?

一、典型句　**Typical sentence patterns**

1. 现在　几点（了）？
   Xiànzài jǐ diǎn (le)?

2. …… 几点 ……？
   …… jǐ diǎn ……?

你 / 上 班
Nǐ / shàng bān
你们 / 上 课
Nǐmen / shàng kè

3. …… 什么　时候 ……？
   …… shénme shíhou ……?

你 / 去 银行
Nǐ / qù yínháng
他 / 下 班
Tā / xià bān

4. …… 点 ……。
   …… diǎn …….

七 / 一 刻
Qī / yí kè
两 / 五 分
Liǎng / wǔ fēn

5. ······ 点。
   ······ diǎn.

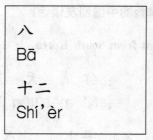

八
Bā

十二
Shí'èr

6. 差 ······ 分 ······ 点。
   Chà ······ fēn ······ diǎn.

五 / 两
wǔ / liǎng

十 / 四
shí / sì

7. ······ 点 半。
   ······ diǎn bàn.

六
Liù

一
Yī

二、课文 Text

1. (小杨和他的同屋今天晚上去参加晚会)

   Xiao Yang and his roommate are going to a party this evening.

小 杨 ：现在 几 点？
Xiǎo Yáng：Xiànzài jǐ diǎn?

同屋 ：七点 一 刻。
tóngwū ：Qī diǎn yí kè.

小 杨 ：时间 不 早 了，
Xiǎo Yáng：Shíjiān bù zǎo le,

咱们 该 走 了。
zánmen gāi zǒu le.

57

2. (韩国学生英爱和她的中国朋友谈话)

Ying'ai, a student from South Korea, is talking with her Chinese friend.

英爱 : 你 每 天 几 点 上 班?
Yīng'ài : Nǐ měi tiān jǐ diǎn shàng bān?

中国 朋友 : 早上 八 点, 你们 几 点 上 课?
Zhōngguó péngyou : Zǎoshang bā diǎn, nǐmen jǐ diǎn shàng kè?

英爱 : 也 是 八 点。 太 早 了。
Yīng'ài : Yě shì bā diǎn. Tài zǎo le.

3. 你什么时候去银行?

小 杨 : 你 什么 时候 去 银行? 现在 还是 下午?
Xiǎo Yáng : Nǐ shénme shíhou qù yínháng? Xiànzài háishi xiàwǔ?

朋友 : 我 想 下午 去。
péngyou : Wǒ xiǎng xiàwǔ qù.

小 杨 : *咱们 一起去 吧。两 点 怎么样?
Xiǎo Yáng : Zánmen yìqǐ qù ba. Liǎng diǎn zěnmeyàng?

朋友 : 好, 差 五 分 两 点 我 去 找 你。
péngyou : Hǎo, chà wǔ fēn liǎng diǎn wǒ qù zhǎo nǐ.

4. 读一读 **Read the following paragraph.**

王 星 最近 很 忙。 他 每 天 六 点 半 起床, 七
Wáng Xīng zuìjìn hěn máng. Tā měi tiān liù diǎn bàn qǐ chuáng, qī

点 吃 饭, 八 点 上 班, 晚上 十 点 下 班, 十二
diǎn chī fàn, bā diǎn shàng bān, wǎnshàng shí diǎn xià bān, shí'èr

点 睡觉。 现在 休息 的 时间 少 了, 也 没有 时间 看
diǎn shuìjiào. Xiànzài xiūxi de shíjiān shǎo le, yě méiyǒu shíjiān kàn

电视 了。
diànshì le.

58

三、生词 New words

1. 现在	xiànzài	（名）	now
2. 点	diǎn	（名）	o'clock
3. 刻	kè	（量）	quarter
4. 时间	shíjiān	（名）	time
5. 早	zǎo	（形）	early
6. 了	le	（助）	*a particle*
7. 咱们	zánmen	（代）	we, us
8. 该	gāi	（能愿）	should, ought to
9. 走	zǒu	（动）	to leave, to walk
10. 上班	shàng bān		to go to work
11. 早上	zǎoshang	（名）	morning
12. 去	qù	（动）	to go
13. 银行	yínháng	（名）	bank
14. 想	xiǎng	（能愿、动）	to feel like; to want
15. 还是	háishi	（连）	or
16. 下午	xiàwǔ	（名）	afternoon
17. 吧	ba	（助）	*a particle*
18. 两	liǎng	（数）	two
19. 差	chà	（动）	to lack, to be short of
20. 找	zhǎo	（动）	to look for

21. 半	bàn	（数）	half
22. 起床	qǐ chuáng		to get up
23. 吃	chī	（动）	to eat
24. 饭	fàn	（名）	meal
25. 晚上	wǎnshang	（名）	evening
26. 下班	xià bān		to finish work, to be off duty
27. 睡觉	shuìjiào		to sleep
28. 电视	diànshì	（名）	television

专名　Proper noun

| 王星 | Wáng Xīng | （人名） | name of a person |

四、注释　Notes

咱们一起去吧。

语气词"吧"在这里表示商量和建议的语气。

The modal particle "吧" is used here to initiate a discussion or give a suggestion.

例如：(1) 明天去吧。

(2) 咱们休息一下儿吧。

五、语言点　Language points

1. 表示变化的"了"　"了" as is used to indicate a change that has taken place

语气助词"了"在句尾可以表示变化的意思。表变化的"了"前常常是新信息。名词谓语句句尾带表示变化的"了"时，句中名词性成分常常有顺序义。

When used at the end of a sentence, the modal particle "了" can indicate a change that has taken place. What comes before the change-indicating "了" is usually the new information. In

60

nominal-predicate sentences ending with a change-indicating "了", the nominal elements often express a meaning of sequence/order.

例如:(1) 他工作了。(以前他没有工作。)

(2) 今年他二十了。(去年他十九。)

(3) 休息的时间少了。(以前休息的时间很多。)

"了"也可以用在否定句句尾,表示变化,

"了" can also be used at the end of a negative sentence to indicate a change.

例如:现在不工作了。(以前他工作。)

2. 用"还是"提问　Asking questions with "还是"

A 还是 B? 这个句式表示选择疑问,回答常是 A 或 B。

A 还是 B? is a sentence pattern used to ask alternative questions. The answer is either A or B.

例如:(1) A:你去南方还是北方?

B:去南方。

(2) A:今天是星期三还是星期四?

B:今天星期四。

(3) A:你想看书还是写字?

B:我不想看书,也不想写字。

六、语言点练习　Exercises concerning the language points

一、用"了"完成句子　Complete the following sentences with "了".

例:他每天六点半回家,有时间看电视。

今天他九点半回家,没有时间看电视了。

1. 八点上课,现在八点五十五分,_____了。

2. 去年他二十岁。今年他_____了。

3. 他上班的时候很忙,现在他不上班了,_____了。

4. 他每天九点回家,没有时间看电视。今天他六点回家,能(néng, be able to, possible)_____了。

5. 他从周一到周五都很忙。今天是周六,他想_____了。

二、用"还是"把下面的词语组成句子

Use "还是" to combine the following phrases into sentences.

例:上午　下午　去

你上午去还是下午去?

1.八点　八点半　上课

2.工作　学习

3.晚上　看电视　做作业

4.听力课　口语课(kǒuyǔ kè, oral class)

5.休息　学习

6.回国　继续学习

七、综合练习　Comprehensive exercises

一、看图说话,练习典型句

Make up dialogues according to the pictures and practise the typical sentence patterns.

1.A:现在几点?

B:＿＿＿＿＿＿＿＿＿＿。

A:＿＿＿＿＿＿＿＿＿＿?

B:现在＿＿＿＿＿＿＿＿。

2. A: 现在几点?

   B: _____。

   A: 时间不早了, _____吧。

   A: _____?

   B: 现在_____。

3. A: 现在几点?

   B: _____。

   A: _____?

   B: 现在_____。

4. A: 现在几点?

   B: _____。

   A: 该_____了。

   A: _____?

   B: 现在_____。

二、替换练习　Substitution exercises

1．A：现在几点？

　　B：七点一刻。

　　A：时间不早了，咱们该走了。

替换词语　Substitute words and phrases

7：15　8：05　10：10　12：30 14：20　16：45　19：55	太晚了

2．A：你什么时候去银行？现在还是下午？

　　B：我想下午去。

　　A：咱们一起去吧。

　　B：两点怎么样？

　　A：好，差五分两点我去找你。

替换词语　Substitute words and phrases

公司（gōngsī, company）

商店（shāngdiàn, store, shop）

邮局（yóujú, post office）

图书馆（túshūguǎn, library）

食堂（shítáng, dining hall）

小卖部（xiǎomàibù, snack counter）

餐厅（cāntīng, restaurant）

三、看一张作息表，用上下面的相关词语进行会话　Look at the following timetable and start a conversation by using appropriate words and phrases from those given below.

6：30　　起床

7：00　　吃早饭（chī zǎofàn, to have breakfast）

7：20　　读课文

8：00　　上课

12：30　　吃午饭（wǔfàn, lunch）

13：00　　休息

14：00　　去图书馆（túshūguǎn, library）

16:00　操场（cāochǎng, playground）锻炼（duànliàn, to do exercises）

18:00　吃晚饭（wǎnfàn, supper）

19:00　看电视

20:30　学习

23:00　睡觉

A：你几点……？

B：＿＿＿＿＿＿＿＿＿＿＿。

A：你什么时候……？

B：＿＿＿＿＿＿＿＿＿＿＿。

早上、上午（shàngwǔ, morning）、下午、晚上

补充句子　Supplementary sentences

1. 我 的 表 慢 / 快 了。
   Wǒ de biǎo màn / kuài le.
   My watch is going slow/fast.

2. 我 的 闹钟 停 了。
   Wǒ de nàozhōng tíng le.
   My alarm clock has stopped.

3. 你 的 表 快 了 吧?
   Nǐ de biǎo kuài le ba?
   Your watch is running fast, isn't it?

4. 你 的 表 准 吗?

Nǐ de biǎo zhǔn ma?

Is your watch correct?

5. 他 迟到了 五 分钟。

Tā chídàole wǔ fēnzhōng.

He was five minutes late.

6. 太 晚 了。我 真 得 走 了。

Tài wǎn le. Wǒ zhēn děi zǒu le.

It's too late. I must be going.

7. 周末 我 九点 才 吃 早饭。

Zhōumò wǒ jiǔ diǎn cái chī zǎofàn.

I do not have breakfast until 9 o'clock on the weekends.

8. 今天 我 起床 的 时候 已经 7 点 半 了。

Jīntiān wǒ qǐ chuáng de shíhou yǐjīng qī diǎn bàn le.

It was already half past seven when I got up today.

9. 到 点 了,咱们 开始 吧。

Dào diǎn le, zánmen kāishǐ ba.

Now is the time. Let's begin.

10. 上 课的 时间 到 了。

Shàng kè de shíjiān dào de.

It's time for class.

66

课堂用语　Classroom expressions

有　问题　吗?

Yǒu wèntí ma?

Do you have any questions?

老师,　我　有　一　个　问题。

Lǎoshī, wǒ yǒu yí ge wèntí.

Professor, I have a question.

我　听　不　懂。　请　您　说　得　慢　一点儿。

Wǒ tīng bu dǒng. Qǐng nín shuō de màn yìdiǎnr.

I cannot understand. Will you please speak a bit more slowly?

你儿子今年多大了

How old is your son this year?

一、典型句　Typical sentence patterns

1. …… 几 岁 (了)?
   …… jǐ　suì (le)?

你 女儿
Nǐ nǔ'ér
这 孩子
Zhè háizi

2. …… 今年 多 大 (了)?
   …… jīnnián duō dà (le)?

你 儿子
Nǐ érzi
他
Tā

3. …… 今年 多 大 年纪 (了)?
   …… jīnnián duō dà niánjì (le)?

您
Nín
你 奶奶
Nǐ nǎinai

4. …… 现在 有 …… 岁 吗?
   …… xiànzài yǒu …… suì ma?

你 妈妈 / 六十
Nǐ māma / liùshí
他 / 三十
Tā / sānshí

5. …… 岁 了。
   …… suì le.

| 两 |
| Liǎng |
| 六十 |
| Liùshí |
| 二十 多 |
| Èrshí duō |

6. …… 岁 左右。
   …… suì zuǒyòu.

| 十三 |
| Shísān |
| 二十 |
| Èrshí |

7. 不 到 …… (岁)。
   Bú dào …… (suì).

| 六十 |
| liùshí |
| 五 |
| wǔ |

二、课文　Text

1. (小陈带着女儿去外边玩儿,路上遇见了一位同事)　**Xiao Chen takes her daughter out to have some fun, and meets one of her colleagues on the way.**

同事　　：这 是 你 女儿 吧? 几 岁 了?
tóngshì　：Zhè shì nǐ nǚ'ér ba? Jǐ suì le?

小　陈　：六 岁 了, 该
Xiǎo Chén：Liù suì le, gāi

　　　　上　 小学　 了。
　　　　shàng xiǎoxué le.

　　　　你 儿子 今年
　　　　Nǐ érzi jīnnián

　　　　多 大 了?
　　　　duō dà le?

69

同事　　　：十七 了，已经 上　 中学　　 了。
tóngshì　：Shíqī le, yǐjīng shàng zhōngxué le.

2. (小刘去朋友家玩儿,跟朋友的奶奶聊天儿)

Xiao Liu is visiting his friend. He is now chatting with his friend's grandmother.

小　刘：奶奶，　您 今年　多　大 年纪 了?
Xiǎo Liú：Nǎinai, nín jīnnián duō dà niánjì le?

奶奶　　：八十二　了。
nǎinai　：Bāshí'èr le.

小　刘：您 身体 真　好。
Xiǎo Liú：Nín shēntǐ zhēn hǎo.

奶奶　　：还 行。
nǎinai　：Hái xíng.

3. (明月正在看一本电影杂志,杂志封面上是一个女演员)

Ming Yue is reading a film magazine, on the front cover of which is an actress.

明月　　　：这个　演员　真　漂亮，　 *你看 她 有 多　大?
Míngyuè　：Zhège yǎnyuán zhēn piàoliang,　nǐ kàn tā yǒu duō dà?

小　王　：二十 几 岁 吧?
Xiǎo Wáng：Èrshí jǐ suì ba?

明月　　　：可能　二十一二。
Míngyuè　：Kěnéng èrshíyī-èr.

小　王　：真　年轻!
Xiǎo Wáng：Zhēng niánqīng!

70

4. (小刘和小孙一起看照片) **Xiao Liu and Xiao Sun are looking at some photos together.**

小　刘：这 是 我 妈妈 年轻　时 的 照片。
Xiǎo Liú：Zhè shì wǒ māma niánqīng shí de zhàopiàn.

小　孙：那 时候 多 大？
Xiǎo sūn：Nà shíhou duō dà?

小　刘：三十　多 岁。
Xiǎo Liú：Sānshí duō suì.

小　孙：你 妈妈 现在　有 六十 岁 吗？
Xiǎo Sūn：Nǐ māma xiànzài yǒu liùshí suì ma?

小　刘：不到 六十。
Xiǎo Liú：Bú dào liùshí.

5. 读一读 **Read the following paragraph.**

在 中国，　孩子们 六七 岁 上　小学，十三 岁 左右
Zài Zhōngguó, háizimen liù-qī suì shàng xiǎoxué, shísān suì zuǒyòu

上　中学。　中学　毕业 以后，有 的 人 继续 上　大学，
shàng zhōngxué. Zhōngxué bì yè yǐhòu, yǒude rén jìxù shàng dàxué,

有的 人 开始 找　工作。　大学 毕业生　的 年龄　一般 在
yǒude rén kāishǐ zhǎo gōngzuò. Dàxué bìyèshēng de niánlíng yìbān zài

二十二 岁 左右。
èrshí'er suì zuǒyòu.

三、生词　New words

1. 女儿　　nǚ'ér　　（名）　　daughter

2. 岁　　suì　　（量）　　age

3. 上(学)　shàng(xué)　（动）　to go to school

4.	小学	xiǎoxué	（名）	primary school
5.	儿子	érzi	（名）	son
6.	多	duō	（副）	how
7.	已经	yǐjīng	（副）	already
8.	中学	zhōngxué	（名）	middle school
9.	奶奶	nǎinai	（名）	grandmother
10.	年纪	niánjì	（名）	age
11.	真	zhēn	（副）	really
12.	演员	yǎnyuán	（名）	actor, actress
13.	漂亮	piàoliang	（形）	beautiful, pretty, handsome
14.	可能	kěnéng	（能愿、名）	perhaps, maybe
15.	年轻	niánqīng	（形）	young
16.	时	shí	（名）	time
17.	照片	zhàopiàn	（名）	photo, picture
18.	那	nà	（代）	that
19.	们	men	（词尾）	*a suffix*
20.	左右	zuǒyòu	（助）	or so
21.	毕业	bì yè		to graduate
22.	以后	yǐhòu	（名）	after, later
23.	有的	yǒude	（代）	some
24.	大学	dàxué	（名）	university
25.	开始	kāishǐ	（动、名）	to begin
26.	年龄	niánlíng	（名）	age

27. 一般　　　　yìbān　　　　（形）　　　　in general

四、注释　Notes

1. 年龄的表达法　Ways to express age

汉语中,询问年长的人的年龄时,一般用:

In Chinese, when asking for the age of elder people, you can say:

(1) 您多大年纪?

(2) 您多大岁数(suìshu, age)了?

询问一般人的年龄可以用:

When asking for the age of people in general, you may say:

(1) 你多大了?

(2) 你今年多大?

问孩子,可以用:

When asking for the age of a child, you may say:

(1) 你儿子今年几岁?

(2) 你几岁了?

2. 你看她有多大? How old do you think she is?

"有"的意思在这儿是表示达到了一定的程度或水平。

"有" is used here to indicate a degree or level reached.

五、语言点　Language points

1. 用"……吧"提问　Asking questions with "……吧"

当对某事有所知,而又不太确定时,可以用"吧"提问。

You may use "吧" to ask a question when you have some idea about something but are not sure.

例如:(1) 那时候他三十几岁吧?

　　　(2) 这是你儿子吧?

（3）你不是这个学校的吧？

2.概数　Approximate numbers

汉语可以用"多"、"几"、"左右"等表示概数。"多"和"几"必须用于 10 以上的数词后面，如"十多/几岁、二十多/几岁、一百多、一千多"，"多"还可以用于 数词＋量词＋多 ，如"一年多、七岁多、一个多小时"等。

In Chinese "多"，"几"，"左右"，etc. can be used to indicate approximate numbers."多" and "几" are used after numbers bigger than 10."多" can also be used in the structure "numeral ＋ classifier ＋ 多".

例如:（1）他二十多了。

（2）他十几岁了。

（3）那时候他三十岁左右。

不说　We do not say:

＊他左右三十岁。

还可以用相邻的两个数字来表示。

Approximate numbers can also be indicated by using two adjacent numbers.

例如:（1）孩子们六七岁上小学。

（2）他今年十二三岁。

六、语言点练习　Exercises concerning the language points

一、把下面的句子变成用"吧"的疑问句

Turn the following sentences into questions with "吧".

例:这是你女儿吗？

这是你女儿吧？

1. 他上学了吗？
2. 他奶奶可能有八十了。
3. 你姐姐是演员吗？
4. 林路可能 10 月回国。

5. 他们可能 7 月毕业。

二、组句　**Combine the following phrases into sentences.**

例: 17、18、学生

每个班有十七八个学生。

1. 35 岁、36 岁

2. 21 岁、22 岁、毕业

3. 六岁、七岁、上学

3. 8:00、9:00、吃饭

4. 11:00、12:00、睡觉

5. 1:00、2:00、吃午饭

6. 三口、四口、人

七、综合练习　Comprehensive exercises

一、看图说话, 练习典型句

Make up dialogues according to the pictures and practise the typical sentence patterns.

1. A: 你几岁了?

　 B: _____?

　 A: _____?

　 B: 他_____了。

2. A：你奶奶＿＿＿＿＿＿＿＿？

B：＿＿＿＿＿＿＿＿多了。

A：你奶奶八十几了？

B：＿＿＿＿＿＿＿＿。

3. A：这是＿＿＿＿＿＿＿＿吧？

B：＿＿＿＿＿＿＿＿，

他今年＿＿＿＿＿＿＿＿。

A：＿＿＿＿＿弟弟吧？＿＿＿＿？

B：对，那时候＿＿＿＿＿＿。

二、替换练习　**Substitution exercises**

1. A:这是你女儿吧？几岁了？

   B:六岁了,该上小学了。

   　你儿子今年多大了？

   A:十七了,已经上中学了。

替换词语　Substitute words and phrases

幼儿园(yòu'éryuán, kindergarten)	毕业
中学	工作
大学	结婚(jiéhūn, to marry)
研究生(yánjiūshēng, graduate student)	

2. A:这个演员真漂亮,你看她有多大？

   B:二十几岁吧？可能二十一二。

   A:真年轻!

替换词语　Substitute words and phrases

运动员(yùndòngyuán, sports man)	帅(shuài, handsome)
经理(jīnglǐ, manager)	能干(nénggàn, capable)
记者(jìzhě, journalist)	年轻(niánqīng, young)
编辑(biānjí, editor)	
先生(xiānsheng, Mr., sir)	
女士(nǔshì, Ms., madam)	
校长(xiàozhǎng, school master)	

三、回答问题　**Answer questions.**

1. 你们国家(guójiā, country)的孩子几岁上学？

2. 你们国家的孩子多大上中学？

3. 你有兄弟姐妹吗？他们多大了？

4. 你父母(fùmǔ, parents)多大年纪了？

四、说说你们国家的学生上学的情况,尽量用上课文里的句子

Say something about going to school in your country and try to use sentence patterns from the text.

补充句子 Supplementary sentences

1. 你 母亲 多 大 岁数 了?
   Nǐ mǔqīn duō dà suìshu le?
   How old is your mother?

2. 他 那 时候 大概 有 几 岁?
   Tā nà shíhou dàgài yǒu jǐ suì?
   What was his approximate age at that time?

3. 你 还 不到 三十 吧?
   Nǐ hái bú dào sānshí ba?
   You are not yet thirty years old, are you?

4. 他 今年 三十 出 头。
   Tā jīnnián sānshí chū tóu.
   He is a little over thirty this year.

5. 你 刚 二十 吧? 已经 大学 毕业 了?
   Nǐ gāng èrshí ba? Yǐjīng dàxué bì yè le?
   You are just twenty, aren't you?
   You have already graduated from university?

6. 很 多 人 二十 岁 左右 就 开始 工作 了。
   Hěn duō rén èrshí suì zuǒyòu jiù kāishǐ gōngzuò le.
   Many people start working at about twenty.

78

7. 他 九岁 才 上学。

Tā jiǔ suì cái shàngxué.

He did not go to school until he was nine.

8. 大 部分 人 六十 岁 的 时候 退休。

Dà bùfen rén liùshí suì de shíhou tuìxiū.

Most of the people retire at the age of sixty.

课堂用语　Classroom expressions

这 句 话 是 什么　意思?

Zhè jù huà shì shénme yìsi?

What does this sentence mean?

这 两　个 词 意思 一样　吗?

Zhè liǎng ge cí yìsi yíyàng ma?

Do these two words mean the same?

第 8 课　Lesson Eight

周末你打算做什么

What are you going to do at the weekend?

一、典型句　**Typical sentence patterns**

1. …… 打算……?
   …… dǎsuàn……?

这个　周末/　做　什么
Zhège zhōumò/ zuò shénme
明天/　　去 哪儿
Míngtiān/ qù nǎr

2. …… 有　什么　　计划?
   …… yǒu shénme jìhuà?

你
Nǐ
他们
Tāmen

3. …… 的　计划　是　什么?
   …… de jìhuà shì shénme?

你们
Nǐmen
他
Tā

4. 计划……?
   Jìhuà……?

   什么　时候　走
   shénme shíhou zǒu

   去　哪儿
   qù nǎr

5. ……　想……。
   ……　xiǎng……．

   我/　去商店　　逛逛
   Wǒ/ qù shāngdiàn guàngguang

   他/　跟　朋友　去玩儿
   Tā/ gēn péngyou qù wánr

6. ……　得　……。
   ……　děi……．

   我/　在　家复习复习
   Wǒ/ zài jiā fùxí　fùxí

   爸爸/　去　公司
   Bàba/ qù gōngsī

7. ……　打算……。
   ……　dǎsuàn……．

   我/　先　去苏州
   Wǒ/ xiān qù Sūzhōu

   姐姐/　一个人　去
   Jiějie/ yí　ge rén qù

8. ……　要　……。
   ……　yào……．

   我/　回家看看
   Wǒ/ huí jiā kànkan

   他/　跟　爸爸、妈妈
   Tā/ gēn bàba、māma

   商量　　商量
   shāngliang shāngliang

9. 没 定。
Méi dìng.

10. 还 没 想 呢。
Hái méi xiǎng ne.

二、课文 Text

1.（小纪跟朋友聊天儿） **Xiao Ji is talking with his friend.**

朋友　 ：周末　我 想　　去
péngyou：Zhōumò wǒ xiǎng qù

　　　　商店　　逛逛。
　　　　shāngdiàn guàngguang.

　　　　你 去 不 去?
　　　　Nǐ qù bu qù?

小　纪 ：昨天　我 已经 去
Xiǎo Jì ：Zuótiān wǒ yǐjīng qù

　　　　了，买了 两　 件
　　　　le, mǎile liǎng jiàn

　　　　衣服。
　　　　yīfu.

朋友　 ：那 这个 周末　 你 打算　做 什么?
péngyou：Nà zhège zhōumò nǐ dǎsuàn zuò shénme?

小　纪 ：我们　星期 一 考试，我 得 在 家 复习 复习。
Xiǎo Jì ：wǒmen xīngqī yī kǎoshì, wǒ děi zài jiā fùxí fùxí.

82

2. (马克跟同学谈放假以后的计划)

Mark is talking with his classmate about his plans for the vacation.

同学　　：听说　　下个月　你要　去旅行？
tóngxué：Tīngshuō xià ge yuè nǐ yào qù lǚxíng?

马克　　：对，　＊我是　有　这个　打算。
Mǎkè　：Duì,　wǒ shì yǒu zhège dǎsuàn.

同学　　：你要　去哪儿？南方　还是　北方？
tóngxué：Nǐ yào qù nǎr?　Nánfāng háishi běifāng?

马克　　：我打算　先　去苏州、杭州　　逛逛，　　　然后
Mǎkè　：Wǒ dǎsuàn xiān qù Sūzhōu、Hángzhōu guàngguang, ránhòu

　　　　　去上海　　玩儿玩儿。
　　　　　qù Shànghǎi wánrwánr.

3. (明月跟小王谈出差的事)　**Ming Yue is talking with Xiao Wang about the business trip.**

明月　　　：出差　的时间　定了　没有？
Míngyuè　：Chū chāi de shíjiān dìngle méiyǒu?

小王　　　：没定。
Xiǎo Wáng：Méi dìng.

明月　　　：计划什么　时候　走？
Míngyuè　：Jìhuà shénme shíhou zǒu?

小王　　　：六月底或者　7月初。
Xiǎo Wáng：Liù yuè dǐ huòzhě qī yuè chū.

4. (小王跟朋友谈五一放假期间的安排)

Xiao Wang is talking with his friend about his plans for the May Day holiday.

朋友　　：五一休息七天，你有什么　计划？
péngyou：Wǔ-Yī xiūxi qī tiān, nǐ yǒu shénme jìhuà?

83

小　王　：我 要 回 家 看看。 你 的 计划 是 什么？
Xiǎo Wáng：Wǒ yào huí jiā kànkan. Nǐ de jìhuà shì shénme?

朋友　　：我 还 没 想 呢。
péngyou　：Wǒ hái méi xiǎng ne.

5.读一读 Read the following paragraph.

大卫 现在 在 中国 学习 汉语。 他 计划 先 学 半
Dàwèi xiànzài zài Zhōngguó xuéxí Hànyǔ. Tā jìhuà xiān xué bàn

年， 然后 开始 找 工作。 他 打算 找 一 个 可以 用
nián, ránhòu kāishǐ zhǎo gōngzuò. Tā dǎsuàn zhǎo yí ge kěyǐ yòng

汉语 的 工作。 不过， 在 中国 工作 还是 回 国
Hànyǔ de gōngzuò. Búguò, zài Zhōngguó gōngzuò háishi huí guó

工作， 现在 还 没 定， 他 要 跟 爸爸、妈妈 商量
gōngzuò, xiànzài hái méi dìng, Tā yào gēn bàba、māma shāngliang

商量。
shāngliang.

三、生词　New words

1. 商店　shāngdiàn　　（名）　　shop, store

2. 逛　　guàng　　　　（动）　　to stroll around

3. 昨天　zuótiān　　　（名）　　yesterday

4. 买　　mǎi　　　　　（动）　　to buy

5. 件　　jiàn　　　　　（量）　　*a measure word*

6. 衣服　yīfu　　　　　（名）　　clothes, dress

7. 那(么)　nà(me)　　　（连）　　then, in that case

8. 打算　dǎsuàn　　　　（动、名）　to plan, plan

84

9. 考试	kǎoshì	(动、名)	to examine; examination
10. 得	děi	(能愿)	have to
11. 复习	fùxí	(动)	to go over, to review
12. 听说	tīngshuō		to hear
13. 旅行	lǚxíng	(动)	to travel, to have a trip
14. 对	duì	(形)	right
15. 南方	nánfāng	(名)	south
16. 北方	běifāng	(名)	north
17. 先	xiān	(副)	first
18. 然后	ránhòu	(副)	then
19. 出差	chū chāi		to be on a business trip
20. 定	dìng	(动)	to decide, to fix, to set
21. 计划	jìhuà	(动、名)	plan
22. 底	dǐ	(名)	end
23. 或者	huòzhě	(连)	or
24. 初	chū	(形、头)	the beginning
25. 还	hái	(副)	yet, still
(还没……呢)(hái méi……ne)			(not…yet)
26. 可以	kěyǐ	(能愿)	can, may
27. 用	yòng	(动)	to use
28. 不过	búguò	(连)	but
29. 商量	shāngliang	(动)	to discuss, to talk over
(跟/和……商量)	(gēn/hé……shāngliang)		(to consult)

专名　Proper nouns

1. 五一　　Wǔ-Yī　　　　　　　　1st May, the Labor Day

2. 苏州　　Sūzhōu　　　　　　　a city's name

3. 杭州　　Hángzhōu　　　　　　a city's name

4. 上海　　Shànghǎi　　　　　　a city's name

四、注释　Notes

我是有这个打算

这里的"是"表示确认。

"是" is used here to confirm something.

五、语言点　Language points

1. 表示动作完成的"了"　"了" as is used to indicate the completion of an action

动态助词"了"用在动词后面可以表示动作的完成。

The aspectual particle "了" can indicate the completion of an action when it is used after a verb.

常用句式 1：Sentence pattern one：

NP + V + 了 + ……

例如：(1) 出差的时间定了。

　　　(2) 我昨天写了很多汉字。

　　　(3) 今天上午我买了两本书。

常用句式 2：Sentence pattern two：

NP + 没(有) + V + ……

例如：(1) 出差的时间没定。

　　　(2) 我没去商店。

一般不说　Usually we do not say：

86

* 昨天我没买了苹果(píngguǒ, apple)。

* 我没去商店了。

常用句式 3：Sentence pattern three：

NP + V + 了 + 吗

例如：(1) 出差的时间定了吗？

(2) 你吃了吗？

常用句式 4：Sentence pattern four：

NP + V + 了 + 没有？

例如：(1) 出差的时间定了没有？

(2) 你写了汉字没有？

常用句式 5：Sentence pattern five：

还没 V 呢。

"还没……呢"表示某种动作尚未实现。

例如：我还没写作业呢。

2. 动词重叠 Verb reduplication

汉语里动词可以重叠表示动作所代表的量的变化, 有的表示轻微、少量的意思, 有的表示重复的意思。

In Chinese verbs can be reduplicated to indicate a change in the amount an action involves. Verb reduplication may express a slight/little amount or repetition.

单音节动词重叠的形式是"AA"。

Single-syllable verbs are reduplicated in the pattern "AA".

例如：(1) 我看看你的书。

(2) 你说说, 去哪儿好？

(3) 我想去杭州玩玩儿。

(4) A：下午你做什么？

B：在家看看书, 写写字, 休息休息。

双音节动词重叠的基本形式是"ABAB"。

Double-syllable verbs are reduplicated in the pattern "ABAB".

例如：(1) 周末我得在家复习复习。

(2) 我们现在休息休息。

表示已然的动词重叠形式是:V 了 V,如"看了看"。

Verbs are reduplicated as V 了 V when an action has already been completed.

注意:Note:

有的动词不能重叠　Some verbs can not be reduplicated.

如:"来、去、有、是、要……"

＊ 你来来。

＊ 你打算打算。

动词重叠没有否定形式。　Reduplicated verbs can not be negated.

不说　We do not say:

＊我在家不复习复习。

＊我不想休息休息。

3.能愿动词"想"、"要"、"得"　Modal verbs 想,要 and 得

汉语中能愿动词"想、要、得"常放在动词前表示主观或客观的愿望或制约。

In Chinese the modal verbs 想, 要 and 得 are often used before verbs to express subjective wishes or objective restraints.

例如:(1) 我想去上海。

(2) 我要练习汉字。

(3) 周末我得在家看看书。

注意:能愿动词的否定形式:

Note:The negative form of modal verbs:

我想去上海。　　→　　我不想去上海。

我要练习汉字。　　→　　我不想练习汉字。

"得"没有否定形式:

There is no negative form for "得". We do not say:

周末我得在家看看书。→　＊周末我不得在家看看书。

六、语言点练习　Exercises concerning the language points

一、改写句子并用否定形式回答

Transform the following sentences according to the example and give negative answers.

例:我想去商店逛逛。

昨天我去商店逛了逛。

昨天我没去商店。

1. 我想买几件衣服。

2. 我要回家看看。

3. 我打算先去杭州,再去上海。

4. 明天我们上听力课。

5. 今天他上课了。

二、用动词的重叠"VV"式造句 Use the reduplication verb form "VV" to make up sentences.

例:看看

我看看,这是谁?

问问 介绍介绍 听听 商量商量 逛逛 休息休息 说说

七、综合练习 Comprehensive exercises

一、看图说话,练习典型句

Make up dialogues according to the pictures and practise the typical sentence patterns.

1. A:周末你想怎么过

(guò, to spend)?

——周末有什么计划

——周末有什么打算

B:我打算_____。

A:周末_____?

B:我想_____,_____。

2. A：听说你想去旅行？

   B：对，我想去＿＿＿＿＿＿。

   A：＿＿＿＿＿＿，去北方还是南方？

   B：我想＿＿＿＿＿＿。

   ——我要去＿＿＿＿＿＿。

   ——我还没定呢。

3. A：老师，您计划什么时候考试？

   B：我打算＿＿＿＿＿＿。

   ——我计划＿＿＿＿＿＿。

二、替换练习　Substitution exercises

1. A：周末我想去商店逛逛，你去不去？

   B：昨天我已经去了，买了两件衣服。

   A：那这个周末你打算做什么？

   B：我们星期一考试，我得在家复习复习。

替换词语　Substitute words and phrases

服装店 (fúzhuāngdiàn, clothing store) 书店(shūdiàn, book store) 超市(chāoshì, supermarket)	一些(yìxiē)／日用品(rìyòngpǐn, 　　　　　　　　　　daily necessities) 本／词典(cídiǎn, a dictionary) 瓶(píng, bottle)／矿泉水(kuàngquánshuǐ, 　　　　　　　　　　mineral water) 个／面包(miànbāo, a loaf of bread)

2. A:听说下个月你要去旅行?

　　B:对,我是有这个打算。

　　A:你要去哪儿? 南方还是北方?

　　B:我打算先去苏州、杭州逛逛,然后去上海玩玩。

替换词语　Substitute words and phrases

寒假(hánjià, winter holiday) 暑假(shǔjià, summer holiday) 春节(Chūn Jié, the Spring Festival)	西安(Xī'ān, Xi'an) 南京(Nánjīng, Nanjing) 广州(Guǎngzhōu, Canton) 香港(Xiānggǎng, Hong Kong)

三、谈谈你的计划,选用下面的相关生词

Select some of the words below and talk about your plans.

谈学习计划:About your study plan　　打算　想要　汉语　英语　日语
　　　　　(Rìyǔ, Japanese)　德语(Déyǔ, German)　法语(Fǎyǔ, French)

谈旅行计划:About your travel plan　　寒假(hánjià, winter holiday)　暑假
　　　　　(shǔjià, summer holiday)　春节(Chūn Jié, the Spring Festival)

补充句子　Supplementary sentences

1. 你 有 什么　打算?
   Nǐ yǒu shénme dǎsuàn?
   What are your plans?

2. 周末　你打算　怎么 过?
   Zhōumò nǐ dǎsuàn zěnme guò?
   How are you going to spend the weekend?

3. 五一 节 你们 有 哪些 活动?
   Wǔ-Yī Jié nǐmen yǒu nǎxiē huódòng?
   What are you going to do during the May Day holiday?

4. 我 没 什么　计划。
   Wǒ méi shénme jìhuà.
   I do not have any plans.

5. 现在　还 不 知道。
   Xiànzài hái bù zhīdào.
   I do not know yet.

6. 我 还 没 想好　呢。
   Wǒ hái méi xiǎnghǎo ne.
   I have no idea.

7. 这 事 还 没 定 呢。
   Zhè shì hái méi dìng ne.
   It has not been decided yet.

8. 具体 时间 还 没 定。
   Jùtǐ shíjiān hái méi dìng.
   No specific time has been fixed.

9. 去 看 个 朋友。
   Qù kàn ge péngyou.
   I'll go to see a friend.

10. 你 怎么 打算?
    Nǐ zěnme dǎsuàn?
    What are your plans?

11. 我 现在 还没 什么 打算。
    Wǒ xiànzài hái méi shénme dǎsuàn.
    I do not have any plans for now.

课堂用语 Classroom expressions

请 注意 发音 和 声调。
Qǐng zhùyì fāyīn hé shēngdiào.
Please pay attention to pronunciation and tones.

请 不看 书 说 课文。
Qǐng bú kàn shū shuō kèwén.
Tell about the text without looking at the book.

先 准备 两 分钟。
Xiān zhǔnbèi liǎng fēnzhōng.
Prepare for two minutes first.

你的专业是什么
What is your major?

一、典型句　Typical sentence patterns

1.	…… 在 哪个 学校　学习?
	…… zài nǎge xuéxiào xuéxí?

你
Nǐ
他
Tā

2.	…… 班 有 多少　学生?
	…… bān yǒu duōshao xuésheng?

你们
Nǐmen
他们
Tāmen

3.	…… 有 几 门　课?
	…… yǒu jǐ mén kè?

4.	…… 觉得 …… 难 不 难?
	…… juéde …… nán bu nán?

你 / 汉语
Nǐ / Hànyǔ
你们 / 英语
Nǐmen / Yīngyǔ

5. 对 …… 来说, ……。
   Duì …… lái shuō, …….

   我 / 写 汉字 比较
   wǒ / xiě Hànzì bǐjiào

   　　　 容易
   　　　 róngyì

   他 / 听 和 说 很 难
   tā / tīng hé shuō hěn nán

6. …… 是 哪个 大学 的?
   …… shì nǎge dàxué de?

7. …… 的 专业 是 什么?
   …… de zhuānyè shì shénme?

8. …… 现在 上 几 年级?
   …… xiànzài shàng jǐ niánjí?

   你
   Nǐ

   你 弟弟
   Nǐ dìdi

9. …… 学习 紧张 吗?
   …… xuéxí jǐnzhāng ma?

二、课文　Text

1. (久美在中外大学生联谊会上认识了一些新朋友)　**Jiumei has got to know some new friends**

   at a get-together of Chinese and foreign college students.

   中国 　　学生 　　：你 在 哪个 学院 学习?
   Zhōngguó xuésheng ：Nǐ zài nǎge xuéyuàn xuéxí?

   久美 　　　　　　：我 在 外语 学院 学习。
   Jiǔměi 　　　　　：Wǒ zài wàiyǔ xuéyuàn xuéxí.

中国　　学生　　：你们　班　有　多少　　学生？
Zhōngguó xuésheng ：Nǐmen bān yǒu duōshao xuésheng?

久美　　　　　　：我们　班　有　十七　个　学生。
Jiǔměi　　　　 ：Wǒmen bān yǒu shíqī ge xuésheng.

中国　　学生　　：都　是　日本　人　吗？
Zhōngguó xuésheng ：Dōu shì Rìběn rén ma?

久美　　　　　　：*不　都　是。有　日本　人、韩国　　人，还
Jiǔměi　　　　 ：　Bù dōu shì. Yǒu Rìběn rén、Hánguó rén, hái

　　　　　　　　　有　英国　　人　和　德国　人。
　　　　　　　　　yǒu Yīngguó rén hé Déguó rén.

2. 你们有几门课？

中国　　学生　　：你们　有　几　门　课？
Zhōngguó xuésheng ：Nǐmen yǒu jǐ mén kè?

久美　　　　　　：三　门　课，口语　课、听力　课　和　汉字　课。
Jiǔměi　　　　 ：Sān mén kè, kǒuyǔ kè、tīnglì kè hé Hànzì kè.

中国　　学生　　：你　觉得　汉语　难　不　难？
Zhōngguó xuésheng ：Nǐ juéde Hànyǔ nán bu nán?

久美　　　　　　：对　我　来　说，　写　汉字　比较　容易，　听　和
Jiǔměi　　　　 ：Duì wǒ lái shuō, xiě Hànzì bǐjiào róngyì, tīng hé

　　　　　　　　　说　挺　难　的。
　　　　　　　　　suō tǐng nán de.

3. 你是哪个大学的？

久美　　　　　　：你　是　哪个　大学　的？
Jiǔměi　　　　 ：Nǐ shì nǎge dàxué de?

中国　　学生　　：我　是　清华　大学　的。
Zhōngguó xuésheng ：Wǒ shì Qīnghuá Dàxué de.

久美　　　　　　　：你 的 专业　 是 什么？
Jiǔměi　　　　　：Nǐ de zhuānyè shì shénme?

中国　　　学生　　：经济 管理。
Zhōngguó xuésheng：Jīngjì guǎnlǐ.

4. 你现在上几年级?

久美　　　　　　　：你 现在　 上　　 几 年级？
Jiǔměi　　　　　：Nǐ xiànzài shàng jǐ niánjí?

中国　　　学生　　：大学　 四 年级。
Zhōngguó xuésheng：Dàxué sì niánjí.

久美　　　　　　　：学习 紧张　　 吗？
Jiǔměi　　　　　：Xuéxí jǐnzhāng ma?

中国　　　学生　　：最近 要 准备　 毕业 考试，　 比较 紧张。
Zhōngguó xuésheng：Zuìjìn yào zhǔnbèi bì yè kǎoshì, bǐjiào jǐnzhāng.

5. 读一读　Read the following paragraph.

高　飞 现在　 是 高中
Gāo Fēi xiànzài shì gāozhōng

三　年级 的 学生，　　 今年 7
sān niánjí de xuésheng, jīnnián qī

月 要 考 大学。 他 学习
yuè yào kǎo dàxué. Tā xuéxí

很 努力，成绩　 也 不错。 他
hěn nǔlì, chéngjì yě búcuò. Tā

的 父母 希望　 他 学 经济
de fùmǔ xīwàng tā xué jīngjì

专业，　　不过　他　对　法律　更　　有　兴趣，　他　想　　考　　北大
zhuānyè,　búguò　tā　duì fǎlǜ　gèng　yǒu　xìngqù,　tā　xiǎng　kǎo　Běi-Dà

法律　系。
fǎlǜ　xì.

三、生词　New words

1. 学院	xuéyuàn	（名）	college
2. 外语	wàiyǔ	（名）	foreign language
3. 还	hái	（副）	besides, and
4. 门	mén	（量）	*a measure word*
5. 口语	kǒuyǔ	（名）	oral lesson
6. 觉得	juéde	（动）	to feel, to think
7. 难	nán	（形）	difficult
8. 对……来说	duì……lái shuō		as for...
9. 比较	bǐjiào	（副、动）	comparatively, quite
10. 容易	róngyì	（形）	easy
11. 专业	zhuānyè	（名）	speciality, major
12. 经济	jīngjì	（名）	economy
13. 管理	guǎnlǐ	（动）	to manage, to run, to administer
14. 年级	niánjí	（名）	degree
15. 准备	zhǔnbèi	（动、名）	to prepare

98

16. 紧张	jǐnzhāng	（形）	busy, nervous
17. 高中	gāozhōng	（名）	high school
18. 考	kǎo	（动）	to take an examination
19. 努力	nǔlì	（形）	to work hard, to make an effort
20. 成绩	chéngjì	（名）	result, achievemant
21. 父母	fùmǔ	（名）	parents
22. 对	duì	（介）	to, in
23. 法律	fǎlǜ	（名）	law
24. 更	gèng	（副）	more
25. 兴趣	xìngqù	（名）	interest
（对……有兴趣）	（duì……yǒu xìngqù）		（to have an interest in ...）
26. 系	xì	（名）	department

专名　Proper nouns

1. 韩国	Hánguó	Korea
2. 德国	Déguó	Germany
3. 清华大学	Qīnghuá Dàxué	Qinghua University
4. 高飞	Gāo Fēi	name of a person
5. 北京大学(北大)	Běijīng Dàxué(Běi-Dà)	Beijing University

四、注释 Notes

不都是

"都……"的不完全否定形式是"不都……",它的完全否定形式是"都不……"

The nontotal negation form for "都" is "不都", while its total negation form is "都不".

比较：(1) 我们班的学生不都是日本人。

(2) 我们班的学生都不是日本人。

五、语言点 Language points

1. "多少"和"几" "多少" and "几"

问数量可以用"多少",也可以用"几"。一般来说,数目在十以下的常常用"几",数目在十以上的常常用"多少"来提问。

"多少" and "几" can be used to ask about numbers. Generally, "几" is used when the number is smaller than ten and "多少" is used when the number is bigger than ten.

| ……有多少/几……? | How many...

例如：(1) 你们班有多少人？

(2) 这个学校有多少学生？

(3) 你家有几口人？

(4) 你有几门课？

(5) 这孩子几岁？

不说 We do not say:

*你们学校有几个学生？

另外,"多少"后面的名词可以不用量词,而"几"后面的名词应该用量词。

Besides, the noun after "多少" may not be preceded by a measure word, but the noun after "几" must.

不说 We do not say:

*你们班有几学生？

2. "的"字结构 The "的" construction

"的"可以放在名词、动词、形容词或短语的后面构成"的"字结构,"的"字结构后面的名词性成分可以不再出现 。

"的" can be used after nouns, verbs, adjectives or phrases to form "的" constructions. The nominal elements after "的" constructions may be left out.

例如:(1) 我是清华的。

(2) 你是哪个学校的?

(3) 大的好。

(4) 我不想学太难的。

(5) 你要考的是什么学校?

六、语言点练习　Exercises concerning the language points

一、用"几"和"多少"填空　Fill in the blanks with "几" and "多少".

1.你们家有 _____ 口人?

2.北京大学有_____ 留学生?

3.你们有 _____ 门课?

4.你认识 _____ 汉字?

5.他有 _____ 个汉语老师?

6.现在 _____ 点?

7.今天有 _____ 作业?

二、用"的"字结构改写下面的句子

Use the "的" construction to transform the following sentences.

例:他的专业是法律。→

他是学法律的。

1. 我是中文系的老师。

2. 他是清华大学的学生。

3. 我在外语学院学习。我们班有日本学生,也有韩国学生。

4. 那个班的学生有公司(gōngsī, company)来的职员(zhíyuán, employee),也有大学生。

5. 我买了汉语书,也买了英语书。

七、综合练习　Comprehensive exercises

一、看图说话,练习典型句

Make up dialogues according to the pictures and practise the typical sentence patterns.

有效期至 ___2002年7月___

_____

_____

国籍 __德国__ 学号 _S01092010_

姓名 __艾琳__

性别 __女__ 类别 _____

注意事项

1. 不得遗失、涂改、转借。
2. 本证未经注册、逾期无效。
3. 结业离校时要交回。

北京语言大学

发证日期 _2001年7月_

1. A: _____?

   B:北京语言大学。

   A:你是哪个_____的?

   B:_____。

A9 班学生名单

序号	姓　名	性别	序号	姓　名	性别
1	艾　琳	女	9	三上智美	女
2	村上一郎	男	10	金慧英	女
3	河英爱	女	11	林　路	男
4	郑永浩	男	12	安　娜	女
5	玛　丽	女	13	亚历山德罗	男
6	水崎健太	男	14	保　罗	男
7	麦　克	男	15	吉田诚	男
8	芳　妮	女			

2. A:＿＿＿＿＿＿＿＿＿＿？

B:我们班有 15 个学生。

A:你们班＿＿＿＿＿＿＿＿＿＿？

B:＿＿＿＿＿＿＿＿＿＿。

C8 班课程表

	星期一	星期二	星期三	星期四	星期五
第一节	综合	阅读	口语		综合
第二节	综合	阅读			综合
第三节		听力	综合	听力	口语
第四节		听力	综合	听力	口语
第五节	口语			阅读	
第六节	口语			阅读	

3. A:＿＿＿＿＿＿＿＿＿＿？

B:我们有＿＿＿＿＿＿＿＿＿＿课。

A:你们有几门课?

B:＿＿＿＿＿＿＿＿＿＿。

二、替换练习　Substitution exercises

1. A:你在哪个学院学习?

B:我在外语学院学习。

A:你们班有多少学生?

B:我们班有十七个学生。

A:都是日本人吗?

B:不都是。有日本人、韩国人,还有英国人和德国人。

替换词语　Substitute words and phrases

系	韩国人(Hánguó rén, Korean)
中文系(Zhōngwén xì, the Chinese department)	英国人(Yīngguó rén, English)
外语系(wàiyǔ xì, the foreign language department)	德国人(Déguó rén, German)
历史系(lìshǐ xì, the history department)	美国人(Měiguó rén, American)
计算机系(jìsuànjī xì, the computer department)	泰国人(Tàiguó rén, Thai)
化学系(huàxué xì, the chemistry department)	
物理系(wùlǐ xì, the physics department)	

2. A: 你是哪个大学的？
   B: 我是清华大学的。
   A: 你的专业是什么？
   B: 经济管理。

替换词语　Substitute words and phrases

英语
环保(huán-bǎo, environmental protection)
生化(shēng-huà, biochemistry)
工程管理(gōngchéng guǎnlǐ, engineering management)
中文(Zhōngwén, Chinese)
数学(shùxué, mathematics)
财会(cáikuài, finance)
美术(měishù, fine arts)
音乐(yīnyuè, music)
建筑(jiànzhù, architecture)
法律
经济
计算机(jìsuànjī, computer)

三、根据实情回答　Answer the following questions according to your own situation.

1. 你的专业是什么？

2. 你是学什么专业的？

3. 对你来说，汉语难不难？

4. 你觉得汉字难不难？

5. 你们学习紧张吗？

6. 最近你们忙不忙？

四、谈谈你现在的学习情况, 选用下面的词语或包括下面的问题　Talk about your current study. Use the words below or include the following questions in your talk.

1. 介绍你的班：Introduce your class

你在哪个班学习？

你们班有多少人？

你的同学是哪国人？

你们班有几位老师？

你的老师是哪国人？

2. 介绍你的课程情况：Introduce your courses

我们有……门课, 有……, 还有……, 对我来说, 难, 最喜欢

3. 介绍你的学习生活, 尽量用上课文里的句子, 可以选用下列词语：

Try to use sentence patterns from the text to introduce your study life. You may also use the following substitute words and phrases.

我是学……的

法律、经济、电脑(diànnǎo, computer)、设计(shèjì, to design)、语言(yǔyán, language)、财会(cáikuài, finance)、管理、医学(yīxué, medicine)、热门(rèmén, popular)、专业

补充句子　Supplementary sentences

1. 你们　老师　怎么样？

   Nǐmen lǎoshī zěnmeyàng?

   What do you think of your teachers?

2. 你们　班　的　学生　　努力　吗？

   Nǐmen bān de xuésheng nǔlì ma?

   Do students in your class work hard?

3. 你　觉得　哪　门　课　最　难？

   Nǐ juéde nǎ mén kè zuì nán?

   Which subject do you think is the most difficult?

4. 你　最　喜欢　上　　什么　　课？

   Nǐ zuì xǐhuan shàng shénme kè?

   Which subject do you like best?

5. 你　什么　专业　的？

   Nǐ shénme zhuānyè de?

   What is your major?

6. 我　是　学　经济　的。

   Wǒ shì xué jīngjì de.

   I major in economics.

7. 你　几　年级　了？

   Nǐ jǐ niánjí le?

   Which year are you in now?

8. 你　什么　时候　毕业？

   Nǐ shénme shíhou bì yè?

   When will you graduate?

你想做什么工作
What do you want to do for a living?

一、典型句　Typical sentence patterns

1. …… 是 做 什么　工作　　的?
   …… shì zuò shénme gōngzuò de?

你 父母
Nǐ fùmǔ
你 爱人
Nǐ àiren

2. …… 想　做 什么　工作?
   …… xiǎng zuò shénme gōngzuò?

你
Nǐ
他
Tā

3. …… 在 哪儿 工作?
   …… zài nǎr　gōngzuò?

你
Nǐ
你 朋友
Nǐ péngyou

4. …… 是 几 小时　工作制?
   …… shì jǐ　xiǎoshí gōngzuòzhì?

韩国
Hánguó
英国
Yīngguó

107

5. ⋯⋯ 是 ⋯⋯。
⋯⋯ shì ⋯⋯.

我 父亲 / 大夫
Wǒ fùqīn / dàifu
他 母亲 / 老师
Tā mǔqīn / lǎoshī

6. ⋯⋯ 想 当 ⋯⋯。
⋯⋯ xiǎng dāng ⋯⋯.

我 / 翻译
Wǒ / fānyì
他 / 记者
Tā jìzhě

7. ⋯⋯ 在 ⋯⋯ 工作。
⋯⋯ zài ⋯⋯ gōngzuò.

我 / 网络 公司
Wǒ / wǎngluò gōngsī
他 爱人 / 大学
Tā àiren / dàxué

8. ⋯⋯ 每天 工作 ⋯⋯。
⋯⋯ měitiān gōngzuò ⋯⋯.

我们 / 八 小时
Wǒmen / bā xiǎoshí
他 / 十 小时
Tā / shí xiǎoshí

9. ⋯⋯ 想 换 个 工作。
⋯⋯ xiǎng huàn ge gōngzuò.

我
Wǒ
他 姐姐
Tā jiějie

10. ⋯⋯ 不 太 适合 当 ⋯⋯。
⋯⋯ bú tài shìhé dāng ⋯⋯.

我 / 老师
Wǒ / lǎoshī
我 弟弟/ 职员
Wǒ dìdi/ zhíyuán

二、课文 Text

1.(英爱跟中国朋友聊天儿) **Ying'ai is talking with her Chinese friend.**

中国　　　朋友　：你 父母 是 做 什么　工作　 的？
Zhōngguó péngyou：Nǐ fùmǔ shì zuò shénme gōngzuò de?

英爱　　　：我 父亲 是 大夫，我 母亲 不 工作。
Yīng'ài　　：Wǒ fùqīn shì dàifu, wǒ mǔqīn bù gōngzuò.

中国　　　朋友　：大学 毕业 以后，你 想　 做 什么　工作？
Zhōngguó péngyou：Dàxué bì yè yǐhòu, nǐ xiǎng zuò shénme gōngzuò?

英爱　　　：我 想　 当　 翻译。
Yīng'ài　　：Wǒ xiǎng dāng fānyì.

2.(小王遇见了一个老朋友) **Xiao Wang meets an old friend.**

小　王　：你 现在　 在 哪儿 工作？
Xiǎo Wáng：Nǐ xiànzài zài nǎr gōngzuò?

朋友　：我 在 一 家 网络　公司　工作。
péngyou：Wǒ zài yì jiā wǎngluò gōngsī gōngzuò.

小　王　：在 公司　工作　挺 累 的 吧？
Xiǎo Wáng：Zài gōngsī gōngzuò tǐng lèi de ba?

朋友　：* 可不是。每 天 从　早 忙　到 晚，周末　还
péngyou：　 Kěbushì. Měi tiān cóng zǎo máng dào wǎn, zhōumò hái

经常　　加班。
jīngcháng jiā bān.

3.(小王跟韩国朋友聊天儿) **Xiao Wang is talking with his Korean friend.**

小　王　：韩国　是 几 小时　工作制？
Xiǎo Wáng　：Hánguó shì jǐ xiǎoshí gōngzuòzhì?

韩国　朋友　：＊跟　中国　　一样，每天　工作　　八
Hánguó péngyou :　　Gēn zhōngguó yíyàng, měi tiān gōngzuò bā

小时。
xiǎoshí.

小　王　：每　星期　上　几　天　班？
Xiǎo Wáng　: Měi xīngqī shàng jǐ tiān bān?

韩国　朋友　：有　时候　上　六天，有　时候　上　五天
Hánguó péngyou : Yǒu shíhou shàng liù tiān, yǒu shíhou shàng wǔ tiān

半。
bàn.

4.（小王跟爸爸谈话） Xiao Wang is talking with his father.

小　王　：我　想　换　个　工作。
Xiǎo Wáng : Wǒ xiǎng huàn ge gōngzuò.

爸爸　：为　什么？现在　的工作　不是挺　好　的吗？
bàba　: Wèi shénme? Xiànzài de gōngzuò búshì tǐng hǎo de ma?

小　王　：我　觉得我不太适合当　老师。
Xiǎo Wáng : Wǒ juéde wǒ bú tài shìhé dāng lǎoshī.

爸爸　：你想　换什么　工作？
bàba　: Nǐ xiǎng huàn shénme gōngzuò?

小　王　：我　打算　去公司　工作。
Xiǎo Wáng : Wǒ dǎsuàn qù gōngsī gōngzuò.

5.读一读 Read the following paragraph.

不少　人觉得律师、翻译、公司　职员　都是不错的
Bù shǎo rén juéde lǜshī、fānyì、gōngsī zhíyuán dōu shì búcuò de

职业。不过　对我来说，　最理想　的职业是当　老师。
zhíyè. Búguò duì wǒ lái shuō, zuì lǐxiǎng de zhíyè shì dāng lǎoshī.

第一, 我 比较 适合 当
Dì-yī, wǒ bǐjiào shìhé dāng

老师。 第二, 我 非常
lǎoshī. Dì-èr, wǒ fēicháng

喜欢 旅行。 老师 一 年
xǐhuan lǚxíng. Lǎoshī yì nián

有 两 个 假期, 在 假期
yǒu liǎng ge jiàqī, zài jiàqī

可以 去 旅行。
kěyǐ qù lǚxíng.

三、生词 New words

1. 父亲	fùqīn	(名)	father
2. 母亲	mǔqīn	(名)	mother
3. 大夫	dàifu	(名)	doctor
4. 当	dāng	(动)	to be
5. 翻译	fānyì	(名、动)	translator, interpreter
6. 家	jiā	(量)	*a measure word*
7. 网络	wǎngluò	(名)	internet
8. 公司	gōngsī	(名)	company
9. 可不是	kěbushì		true, you're right
10. 累	lèi	(形)	tired
11. 经常	jīngcháng	(副)	often, usually
12. 加班	jiā bān		to work an extra shift,

111

				to work overtime
13.	小时	xiǎoshí	（名）	hour
14.	工作制	gōngzuòzhì	（名）	working system
15.	一样	yíyàng	（形）	same
	（跟/和……一样）	（gēn/hé……yíyàng）		（the same as）
16.	换	huàn	（动）	to change
17.	为什么	wèi shénme		why
18.	适合	shìhé	（动）	to suit, to be fit for
19.	律师	lǜshī	（名）	lawyer
20.	职员	zhíyuán	（名）	staff member, office worker
21.	职业	zhíyè	（名）	profession, occupation
22.	最	zuì	（副）	most
23.	理想	lǐxiǎng	（形）	ideal
24.	第	dì	（头）	*an ordinal preffix*
25.	非常	fēicháng	（副）	very
26.	假期	jiàqī	（名）	vacation, holiday

四、注释　Notes

1. 可不是　you are right

"可不是"表示赞同。

"可不是" is used to show agreement of opinion.

例如：A：他真年轻。

　　　 B：可不是。

2. 跟中国一样　the same as China

"A 跟 B 一样"表示二者相同。它的否定形式是:"A 跟 B 不一样。"

"A 跟 B 一样" means that two entities are the same. Its negation form is "A 跟 B 不一样".

五、语言点　Language points

1. 时量补语　Complement of time

动词后接表示时段的时间词,表示动作持续的时间。时量补语的主要形式有:

A durational expression of time used after a verb indicates the period of time the action lasts. The main forms of temporal complement include:

| V ＋ 时间 |

例如:(1) 你每天工作几小时?

　　　(2) 我每天工作八小时。

　　　(3) 他每天学五个小时,昨天他学了三个小时。

　　　(4) 这本书我看了一个星期。

　　　(5) 我没看三个小时,我看了一个小时。

不说　We do not say:

　　　＊ 你每天几小时工作?

　　　＊ 我每天两小时工作。

| V＋时间＋(的)＋N |

例如:(1) 我每天上四小时的课。

　　　(2) 我每天睡七小时的觉。

　　　(3) 今天我看了四个小时的电视。

不说　We do not say:

　　　＊今天我四个小时看了电视。

2. ……不是……吗?　Isn't it right?

对别人的话或者行为表示不理解或有别的看法,同时提醒对方某些已知信息,可以用反问句式"……不是……吗?"。

The tag question "……不是……吗?" is used to show that the speaker is confused or has other understandings about what a person says or does and to remind this person of some old information.

例如:(1) 你不是想学汉语吗?

　　　(2) 这不是小王吗?

（3）他不是想当翻译吗？

（3）现在的工作不是挺好的吗？

注意："不是……"后面的部分一定是谈话双方已知的信息。反问句式"不是……吗"一般用于关系较近的会话双方，否则听者会觉得唐突。

Note：What comes after "不是……" must be the information already known to both the speaker and the listener. The tag question form "不是……吗" is generally used by two conversers who are close to each other. Otherwise the listener may find the question blunt.

六、语言点练习　Exercises concerning the language points

一、用下面的词语模仿造句

Make up sentences with the words below according to the example.

例：休息　十分钟

　　现在我们休息十分钟。

工作	八小时
学汉语	三年
上班	五天
睡觉	九个小时
吃饭	半小时
写作业	一个半小时

二、用"不是……吗"改写句子　Transform the following sentences with "不是……吗".

例：这是你的吧？

　　这不是你的吗？

1. 小王是律师。

2. 他身体挺好的。

3. 我弟弟明年毕业。

4. 当老师挺好的。

5. 他回家了。

6. 今天星期五。

七、综合练习　Comprehensive exercises

一、看图说话，练习典型句

Make up dialogues according to the pictures and practise the typical sentence patterns.

1. A: 她是做什么工作的?

   B: _____。

2. A: _____?

   B: 他是_____。

3. A: 他在哪儿工作?

   B: _____。

4. A: _____?

   B: 她在_____工作。

5. A: _____?

   B: 我们每天得工作八小时。

6. A: 你每天上几小时的课？

B: _____。

二、替换练习　Substitution exercises

1. A: 你父母是做什么工作的？

B: 我父亲是<u>大夫</u>，我母亲<u>不工作</u>。

A: 大学毕业以后，你想做什么工作？

B: 我想当<u>翻译</u>。

替换词语　Substitute words and phrases

> 律师
>
> 教师（jiàoshī, teacher）
>
> 记者（jìzhě, journalist）
>
> 工程师（gōngchéngshī, engineer）
>
> 经理（jīnglǐ, manager）
>
> 医生/大夫
>
> 护士（hùshi, nurse）
>
> 公务员（gōngwùyuán, public servant）
>
> 导游（dǎoyóu, tour guide）

2. A：你现在在哪儿工作？

B：我在一家网络公司工作。

A：在公司工作挺累的吧？

B：可不是。每天从早忙到晚，周末还经常加班。

替换词语　Substitute words and phrases

银行

大学

报社（bàoshè, newspaper office）

研究所（yánjiūsuǒ, institute）

饭店（fàndiàn, hotel）

医院（yīyuàn, hospital）

旅行社（lǚxíngshè, travel agency）

工厂（gōngchǎng, factory）

三、回答问题　Answer the following questions.

1. 你父母是做什么工作的？

2. 大学毕业以后，你想做什么工作？

3. 你觉得做什么工作最理想？

4. 你最喜欢什么职业？

5. 你想当老师吗？为什么？

6. 他们公司经常加班，你觉得他的工作怎么样？

7. 对你来说，最合适的职业是什么？

四、说话　Talk

1. 介绍你或别人的工作，选用下列词语：

Choose appropriate words and phrase from those given below and talk about your work or the work of another person.

是做……的　在……工作　工作……小时　紧张　忙　累　理想　合适　职业　换　找

2. 简单说说你理想的职业，可以选用上面的替换词语：

Talk briefly about an ideal occupation in your mind. You may use the following substitute words and phrases.

律师　经理（jīnglǐ, manager）　工程师（gōngchéngshī, engineer）

医生　会计（kuàijì, accountant）　设计师（shèjìshī, designer）

银行家（yínhángjiā, banker）　教师（jiàoshī, teacher）

我觉得……

我最理想的职业是……

补充句子　Supplementary sentences

1. 你 在 哪儿 上 班?
   Nǐ zài nǎr shàng bān?
   Where do you work?

2. 你 在 哪个 单位 上 班?
   Nǐ zài nǎge dānwèi shàng bān?
   Which workplace are you with?

3. 你们 每 周 工作 几 天?
   Nǐmen měi zhōu gōngzuò jǐ tiān?
   How many days do you work each week?

4. 我们 不 常 加班。
   Wǒmen bù cháng jiā bān.
   We don't often work overtime.

5. 你们 坐 班 吗?
   Nǐmen zuò bān ma?
   Do you have to stay on duty during working hours?

6. 你 怎么 去上 班?

Nǐ zěnme qù shàng bān?

How do you go to work?

7. 我 不想 当 导游 了，我 想 做别 的。

Wǒ bù xiǎng dāng dǎoyóu le, wǒ xiǎng zuò bié de.

I don't want to be a tour guide any more.

I want to do something else.

8. 他 是 干 什么 工作 的?

Tā shì gàn shénme gōngzuò de?

What does he do for a living?

9. 我 不想 在 这个 公司 了，我 想 辞职。

Wǒ bù xiǎng zài zhège gōngsī le, wǒ xiǎng cí zhí.

I don't want to work in this company any longer.

I want to quit.

买两张票

Buying two tickets

一、典型句 Typical sentence patterns

1. 到 …… 多少 钱？
   Dào …… duōshao qián?

   和平 路
   Hépíng Lù

   长城 饭店
   Chángchéng Fàndiàn

2. …… 是 从 哪儿 上 的？
   …… shì cóng nǎr shàng de?

   您
   Nín

   他们
   Tāmen

3. …… 次 到 …… 的 票 还 有
   …… cì dào …… de piào hái yǒu
   吗？
   ma?

   T535 / 天津
   T wǔ sān wǔ / Tiānjīn

   T21 / 上海
   T èr yī / Shànghǎi

4. 买 …… 张 票。
   Mǎi …… zhāng piào.

   两
   liǎng

   三
   sān

5. 我 想　预订 一 张
   Wǒ xiǎng yùdìng yì zhāng
   …… 月 …… 日
   …… yuè …… rì

   从 …… 到 …… 的 票。
   cóng…… dào…… de piào.

┌─────────────────────────────────┐
│ 8 / 20 / 北京 / 汉城   │
│ bā / èrshí / Běijīng / Hànchéng │
│   │
│ 4 / 1 / 杭州 / 上海   │
│ sì / yī / Hángzhuō / Shànghǎi   │
└─────────────────────────────────┘

二、课文　Text

1.（在公共汽车上）　On a bus

乘客　　　　　：到 和平 路多少　钱？
chéngkè　　　：Dào Hépíng Lù duōshao qián?

售票员　　　　：您 是 从　哪儿 上　的？
shòupiàoyuán：Nín shì cóng nǎr　shàng de?

乘客　　　　　：长城　　　饭店。
chéngkè　　　：Chángchéng Fàndiàn.

售票员　　　　：两　块 一 张。
shòupiàoyuán：Liǎng kuài yì zhāng.

2.（在火车站售票处）　At the ticket office of a train station

买票人　　　　：T 535　　次到 天津 的 票 还 有 吗？
mǎipiàorén　：T wǔ sān wǔ cì dào Tiānjīn de piào hái yǒu ma?

售票员　　　　：没有 了。
shòupiàoyuán：Méiyǒu le.

买票人　　　　：到 天津 最 早 的 车 是 几点 的？
mǎipiàorén　：Dào Tiānjīn zuì zǎo de chē shì jǐ diǎn de?

售票员　　　　：十 点 半 的。
shòupiàoyuán：Shí diǎn bàn de.

122

买票人　　　：这儿卖 返程　 票 吗?
mǎipiàorén　：Zhèr mài fǎnchéng piào ma?

售票员　　　：不卖。
shòupiàoyuán：Bú mài.

3.(在剧院售票窗口) At the box office of a theater

小 　王　　　：买 两 张　 票，要 前 排 的。
Xiǎo Wáng　：Mǎi liǎng zhāng piào, yào qián pái de.

售票员　　　：对 不 起,前 排 的 没 有　了。楼上　 的 行 不
shòupiàoyuán：Duì bu qǐ, qián pái de méiyǒu le. Lóushàng de xíng bu

　　　　　　　行?
　　　　　　　xíng?

小 　王　　　：行。
Xiǎo Wáng　：Xíng.

4.(小苏给航空公司售票处打电话) Xiao Su is calling the ticket office of an airline company.

小 苏：我 想　 预订 一
Xiǎo Sū：Wǒ xiǎng yùdìng yì

张 8 月 20
zhāng bā yuè èrshí

号 从 北京 到
hào cóng Běijīng dào

汉城　 的
Hànchéng de

票。
piào.

小 姐：您 要 坐 哪家 公司　 的 飞机?
xiǎojie：Nín yào zuò nǎ jiā gōngsī de fēijī?

123

小　苏：中国　　国际 航空　　公司　 的 CA123 航班。
Xiǎo Sū：Zhōngguó Guójì Hángkōng Gōngsī de CA123 hángbān.

小　姐：请　说 一下儿 您 的 姓名、　 护照　号码、　 住址　和
xiǎojie：Qǐng shuō yíxiàr　 nín de xìngmíng、hùzhào hàomǎ、zhùzhǐ hé

　　　　电话。
　　　　diànhuà.

小　苏：我 叫 苏 欢，　"苏州" 的 "苏"，"喜欢"　的 "欢"
Xiǎo Sū：Wǒ jiào Sū Huān，"Sūzhōu" de "Sū"，"xǐhuan" de "huān"

　　　　……。
　　　　…….

5.读一读　Read the following paragraph.

这 是 一 张　 从 北京 到 天津 的 火车　票。
Zhè shì yì zhāng cóng Běijīng dào Tiānjīn de huǒchē piào.

"T535"　　　 是 车次，"05　　车 下 41　　号" 的 意思 是 第
"Twǔ sān wǔ" shì chēcì，"líng wǔ chē xià sìshíyī hào" de yìsi　shì dì-

5 车厢　下 层 41　号 座位。"13：00开"　　 是 开车
wǔ chēxiāng xià céng sìshíyī hào zuòwèi."Shísān diǎn kāi" shì kāi chē

的 时间。
de shíjiān.

124

三、生词 New words

1. 钱　　　qián　　　（名）　　　money

2. 上(车)　shàng(chē)　　　　　to get on（the bus）

3. 块　　　kuài　　　（量）　　　*a measure word*

4. 张　　　zhāng　　　（量）　　　*a measure word*

5. 车次　　chēcì　　　（名）　　　train number

6. 票　　　piào　　　（名）　　　ticket

7. 车　　　chē　　　（名）　　　vehicle

8. 卖　　　mài　　　（动）　　　to sell

9. 返程　　fǎn chéng　　　　　　return

10. 前　　　qián　　　（名）　　　front

11. 排　　　pái　　　（名、量）　row

12. 上　　　shàng　　　（名）　　upper

13. 行　　　xíng　　　（动）　　　to be OK

14. 预订　　yùdìng　　　（动）　　to book, to order, to subscribe

15. 飞机　　fēijī　　　（名）　　　plane

16. 航班　　hángbān　　（名）　　scheduled flight; flight number

17. 姓名　　xìngmíng　　（名）　　name

18. 护照　　hùzhào　　　（名）　　passport

19. 住址　　zhùzhǐ　　　（名）　　address

20. 火车　　huǒchē　　　（名）　　train

125

21. 意思	yìsi	（名）	meaning
22. 车厢	chēxiāng	（名）	railway carriage, railroad car
23. 下	xià	（名）	lower
24. 层	céng	（量）	floor
25. 座位	zuòwèi	（名）	seat
26. 开(车)	kāi(chē)	（动）	to start off

专名　Proper nouns

1. 和平路	Hépíng Lù	Heping Road
2. 长城饭店	Chángchéng Fàndiàn	The Great Wall Hotel
3. 天津	Tiānjīn	name of a city
4. 汉城	Hànchéng	Seoul
5. 中国国际航空公司	Zhōngguó Guójì Hángkōng Gōngsī	CAAC
6. 苏欢	Sū Huān	name of a person

四、语言点　Language points

1. 数量结构　The quantificational structure

常用句式：Sentence pattern

数词＋量词＋名词　　numeral ＋ classifier ＋ N

汉语的名词常和数量词一起使用。

In Chinese nouns are often used together with quantifiers.

例如：(1) 我家有三口人。

(2) 我们班有十八个学生。

(3) 我有三门课。

(4) 买一张票。

(5) 我坐 21 次车去上海。

不说　We do not say

　　＊ 我们班有十五学生。

　　＊ 他买四票。

2. "是……的"结构　The "是……的" construction

"是……的"可以用来强调过去发生的动作的时间、地点或方式等。

The "是……的" construction can be used to emphasize the time, place or manner of a past event.

常用句式 1：Sentence pattern one：

> ……是＋时间词＋动词＋……的 …是 ＋ temporal word ＋ V＋…的

例如：(1) 我是去年(qùnián, last year)秋天(qiūtiān, autumn)去的。

　　　(2) 他是昨天来的。

常用句式 2：Sentence pattern two：

> ……是＋地方＋动词＋……的 …是 ＋ location ＋ V＋…的

例如：(1) 他是从韩国来的。

　　　(2) 你是在哪儿吃的?

常用句式 3：Sentence pattern three：

> ……是＋表方式的词语＋动词＋……的 …是 ＋ manner phrase ＋ V ＋ …的

例如：(1) 我是跟朋友一起去的。

　　　(2) 他们是坐汽车来的。

常用句式 4：Sentence pattern four：

> ……是＋……＋动词＋的＋名词 …是 ＋ emphasized element ＋ V ＋ 的 ＋ N

例如：(1) 他是前天吃的烤鸭(kǎoyā, roast duck)。

　　　(2) 我是在美国学的汉语。

常用句式 5：Sentence pattern five：

> ……是＋……＋动词＋代词/专名＋的

> …是＋ emphasized element ＋ V ＋ Pronoun/Proper noun ＋的

> ……是＋……＋动词＋的＋代词/专名

…是 + emphasized element + V + 的 + Pronoun/Proper noun

例如:(1) 我是去年来这儿的。

(2) 我是去年来的这儿。

(3) 他是前年来中国的。

(4) 他是前年来的中国。

注意:"是……的"句在口语中有时"是"可以省略,但"的"不能省略。

Note:"是" in "是……的" can be left out in spoken language, whereas "的" cannot.

例如:他自己去的。

不说 We do not say:

*他三月来了北京。

*我八点起床了。

五、语言点练习 Exercises concerning the language points

一、用"数词 + 量词"填空 Fill in the blanks with "numeral + classifiers" phrases.

1. 我买 ＿＿＿＿＿＿＿＿＿ 票。

2. 我们每天有 ＿＿＿＿＿＿＿＿＿ 课。

3. 他家有 ＿＿＿＿＿＿＿＿＿ 人。

4. 我有 ＿＿＿＿＿＿＿＿＿ 中国朋友。

5. 这是 ＿＿＿＿＿＿＿＿＿ 到北京的飞机票。

6. 我买 ＿＿＿＿＿＿＿＿＿ 衣服。

二、用"是……的"结构组句并回答 Make up sentences with the "是……的" construction and then answer the questions formed.

例:几点/起床

你今天是几点起床的?

我是六点半起床的。

1. 什么时候 睡觉

2. 跟谁一起 来

3. 从哪儿 来

4. 在哪儿 学汉语

5. 什么时候 来中国

128

六、综合练习　Comprehensive exercises

一、看图说话,练习典型句

Make up dialogues according to the pictures and practise the typical sentence patterns.

1. A:＿＿＿＿＿＿＿多少钱?

　　B:两块。

　　A:到＿＿＿＿＿＿多少钱一张?

　　B:＿＿＿＿＿＿＿。

2. A:到＿＿＿＿＿＿的票还有吗?

　　B:＿＿＿＿＿＿。

　　A:＿＿＿＿＿＿＿?

　　B:有,要哪天的?

　　A:＿＿＿＿＿＿的有吗?

129

3. A：请问，_____一张的还有吗？

B：_____。

A：_____？

B：没有了，有六十块的和三十块的。

A：要几张？

B：_____。

A：_____？

B：我买_____张。

4. A：我想预订一张机票。

B：_____？

A：_____。

B：你去哪儿？

A：_____。

B：要哪天的？

A：_____。

二、替换练习　Substitution exercises

1. A：到天津最早的车是几点的？

B：十点半的。

A：这儿卖返程票吗？

B：不卖。

替换词语　Substitute words and phrases

晚 (wǎn, late) 快 (kuài, fast) 好	卧铺 (wòpù, a bunk) 硬卧 (yìngwò, a hard bunk) 软卧 (ruǎnwò, a soft bunk) 硬座 (yìngzuò, a hard seat) 软座 (ruǎnzuò, a soft seat) 下铺 (xiàpù, a lower bunk) 中铺 (zhōngpù, a bunk in the middle) 上铺 (shàngpù, an upper bunk)

三、跟你的同学会话　**Converse with your classmates.**

1．买火车票。

2．买电影 (diànyǐng, film) 票。

3．买飞机票。

4．买公共汽车 (gōnggòng qìchē, bus) 票。

补充句子　Supplementary sentences

1．到　天安门　　几块　钱？

Dào Tiān'ānmén jǐ kuài qián?

How much does it cost to get to Tian'anmen?

131

2. 今天　到　上海　　的硬卧　票　还有　吗？

Jīntiān　dào Shànghǎi de yìngwò piào hái yǒu ma?

Are there any tickets for Shanghai left for the hard sleeping cars?

3. 哪儿　卖　往返　　票？

Nǎr　mài wǎngfǎn piào?

Where can I get a return ticket?

4. 您　想　　乘坐　　哪次　航班？

Nín xiǎng chéngzuò nǎ cì　hángbān?

Which flight would you like to take?

5. 15　　排　以前　的　还有　吗？

Shíwǔ pái yǐqián de hái yǒu ma?

Are there still any tickets before the 15th row?

6. 我　要　两　张　　软卧。

Wǒ yào liǎng zhāng ruǎnwò.

I want two soft bunks.

7. 对　不　起，卧铺　票　　已经　卖完　　了。

Duì bu qǐ,　wòpù piào yǐjīng màiwán le.

Sorry, tickets for the sleeping cars have already been sold out.

8. 预售　　票　提前　几天　卖？

Yùshòu piào tíqián jǐ tiān mài?

How many days in advance can tickets be obtained?

第 12 课　Lesson Twelve

苹果多少钱一斤

How much does the apple cost per jin?

一、典型句　Typical sentence patterns

1. ······ 多少　钱 一 ······?
   ······ duōshao qián yì ······?

| 苹果 　/ 斤 |
| Píngguǒ / jīn |
| 啤酒 / 瓶 |
| Píjiǔ / píng |

2. 这儿 有 ······ 吗?
   Zhèr yǒu ······ ma?

| 啤酒 |
| píjiǔ |
| 茶 |
| chá |

3. 不 要 了。
   Bú yào le.

4. 哪儿 卖 ······?
   Nǎr mài ······?

| 茶 |
| chá |
| 鞋 |
| xié |

133

5. …… 怎么 卖?
 …… zěnme mài?

> 这 条 裤子
> Zhè tiáo kùzi
>
> 苹果
> Píngguǒ

6. 太 贵 了, 便宜 点儿 怎么样?
 Tài guì le, piányi diǎnr zěnmeyàng?

7. 可以 试试 …… 吗?
 Kěyǐ shìshi …… ma?

> 这 条 裤子
> zhè tiáo kùzi
>
> 这 双 鞋
> zhè shuāng xié

8. 这 …… 有点儿 ……,
 Zhè …… yǒudiǎnr ……,
 有 …… 一点儿 的 吗?
 Yǒu …… yìdiǎnr de ma?

> 双 / 大 / 小
> shuāng / dà / xiǎo
>
> 条 / 贵 / 便宜
> tiáo / guì / piányi

9. 您 要 买 什么?
 Nín yào mǎi shénme?

10. 还 要 别的 吗?
 Hái yào biéde ma?

11. 一共……。
 Yígòng…….

> 八十三 块 五 毛 二
> bāshísān kuài wǔ máo èr
>
> 二百 块
> èrbǎi kuài

12. 您 这 是 ……，
    Nín zhè shì ……，

    找 您 ……。
    zhǎo nín …….

一百块 / 十六块
yìbǎi kuài / shíliù kuài

          四 毛 八
          sì máo bā

五十 块 / 一块
wǔshí kuài / yí kuài

二、课文　Text

1.(在水果摊儿)　At a fruit stand

卖主　 : 您 买 什么?
màizhǔ : Nín mǎi shénme?

顾客　: 苹果 多少 钱
gùkè　: Píngguǒ duōshao qián

        一 斤?
        yì jīn?

卖主　 : 这 种 三 块。
màizhǔ : Zhè zhǒng sān kuài.

        那 种 五 块 钱 两 斤。
        Nà zhǒng wǔ kuài qián liǎng jīn.

2.(在小卖部)　In a snack bar

顾客　　　 : 这儿 有 啤酒 吗?
gùkè　　　 : Zhèr yǒu píjiǔ ma?

售货员　　　 : 有。要 几瓶?
shòuhuòyuán : Yǒu. Yào jǐ píng?

顾客　　　　：两　瓶。
gùkè　　　　：Liǎng píng.

售货员　　　：还 要 别的 吗？
shòuhuòyuán ：Hái yào biéde ma?

顾客　　　　：不 要 了。请 问， 哪儿 卖 茶？
gùkè　　　　：Bú yào le. Qǐng wèn, nǎr mài chá?

售货员　　　：那儿 卖。
shòuhuòyuán ：Nàr mài.

3.（在服装摊儿）　At a clothes stand

顾客　　：这 条 裤子 怎么 卖？
gùkè　　：Zhè tiáo kùzi zěnme mài?

卖主　　：一百 三十 块。
màizhǔ　：Yìbǎi sānshí kuài.

顾客　　：太 贵 了，便宜 点儿 怎么样？
gùkè　　：Tài guì le, piányi diǎnr zěnmeyàng?

卖主　　：您 说 多少 钱？
màizhǔ　：Nín shuō duōshao qián?

顾客　　：七十 块。
gùkè　　：Qīshí kuài.

卖主　　：不 行 不 行， 最 低 九十 块。
màizhǔ　：Bù xíng bù xíng, zuì dī jiǔshí kuài.

4.（在商店）　In a department store

顾客　　　　：我 可以 试试 这 双 鞋 吗？
gùkè　　　　：Wǒ kěyǐ shìshi zhè shuāng xié ma?

售货员　　　：您 要 多 大 的？
shòuhuòyuán ：Nín yào duō dà de?

顾客	：23　号　半　的。
gùkè	：Èrshísān hào bàn de.

售货员	：给　您　这　双。
shòuhuòyuán	：Gěi nín zhè shuāng.

顾客	：这　双　　有点儿　小，　有　大　一点儿　的　吗？
gùkè	：Zhè shuāng yǒudiǎnr xiǎo, yǒu dà yìdiǎnr de ma?

售货员	：您　再　试试　24　号　的。
shòuhuòyuán	：Nín zài shìshi èrshísì hào de.

5.（在超市收款台）At the check-out counter of a supermarket

收款员	：一共　八十　块　五　毛　二。
shōukuǎnyuán	：Yígòng bāshí kuài wǔ máo èr.

顾客	：给　您。
gùkè	：Gěi nín.

收款员	：您　有　零钱　吗？
shōukuǎnyuán	：Nín yǒu língqián ma?

顾客	：没有。
gùkè	：Méiyǒu.

收款员	：您　这　是　一百　块，　找　您　十六　块　四　毛　八。
shōukuǎnyuán	：Nín zhè shì yìbǎi kuài, zhǎo nín shíliù kuài sì máo bā.

三、生词　New words

1. 苹果	píngguǒ	（名）	apple
2. 斤	jīn	（量）	half a kilo
3. 种	zhǒng	（量）	kind
4. 啤酒	píjiǔ	（名）	beer

5. 瓶	píng	（量、名）	bottle
6. 别的	biéde	（代）	other
7. 茶	chá	（名）	tea
8. 那儿	nàr	（代）	there
9. 条	tiáo	（量）	*a measure word*
10. 裤子	kùzi	（名）	pant, (a pair of)trousers
11. 怎么	zěnme	（代）	how
12. 百	bǎi	（数）	hundred
13. 贵	guì	（形）	expensive
14. 便宜	piányi	（形）	cheap
15. 一点儿	yìdiǎnr	（名）	a little, a bit
16. 低	dī	（形）	low
17. 试	shì	（动）	to try
18. 双	shuāng	（量）	pair
19. 鞋	xié	（名）	shoe
20. 给	gěi	（动、介）	to give; to
21. 有(一)点儿	yǒu(yì)diǎnr	（副）	a little, a bit
22. 小	xiǎo	（形）	small
23. 一共	yígòng	（副）	altogether
24. 毛	máo	（量）	*a measure word*
25. 零钱	língqián	（名）	change, small change
26. 找(钱)	zhǎo(qián)	（动）	to give change

138

四、语言点　Language points

1."有点儿"和"一点儿"　"有点儿" and "一点儿"

1) 有点儿

A. 常用句式　Sentence pattern：

主语＋有点儿＋谓语 Subject ＋ 有点儿 ＋ predicate

B. "有点儿"后的谓语部分常常是表示不好或不如意的形容词或心理动词。

The predicate following "有点儿" is often an adjective or a psychological verb expressing something unsatisfactory or not desired for.

例如：(1) 这件衣服有点儿贵。

(2) 我有点儿累了。

(3) 这条裤子有点儿长。

不说　We do not say：

　＊ 他的汉语有点儿好。

　＊ 这件衣服有点儿漂亮。

2) 一点儿

A. 常用句式　Sentence patterns：

主语＋动词谓语＋一点儿＋名词宾语

Subject ＋ verbal predicate ＋ 一点儿 ＋ nominal object

主语＋形容词谓语＋一点儿　Subject ＋ adjectival predicate ＋ 一点儿

B. "一点儿＋名词"表示量少。

"一点儿 ＋ noun" expresses a small amount or a little of something.

例如：(1) 我想喝一点儿啤酒。

(2) 我想学一点儿汉语。

(3) 我有一点儿钱。

C. "Adj＋一点儿"表示经比较后某事物怎么样或应该怎么样。

"Adj ＋ 一点儿" expresses a judyement made about something after comparison or the way something is expected to be.

例如：(1) 便宜一点儿怎么样？(意思是：比现在便宜)

(2) 有大一点儿的吗？(意思是：比这个大的)

（3）这条裤子长了一点儿。

不说　We do not say:

* 这条裤子一点儿长。

* 有点儿便宜怎么样？

2.钱数表达法　How to express the amount of money

一百元(100 yuan)

五十元(50 yuan)

二十元(20 yuan)

十元(10 yuan)

五元(5 yuan)

两元(2 yuan)

一元(1 yuan)

140

硬币(coins)：

 样币  样币   样币  样币

一元(1 yuan)   五角(5 jiao)   一角(1 jiao)   五分(5 fen)

人民币共有元(块)、角(毛)、分三种面值。汉语的钱数表达的顺序是"……元/块……角/毛……分。"

There are altogether three denominations for Renminbi：yuan/kuai, jiao/mao and fen. In Chinese the amount of money is expressed with yuan/kuai coming before jiao/mao and jiao/mao coming before fen.

例如：(1) 苹果两块五毛一斤。

(2) 这条裤子六十块。

(3) 一共八块三毛五(分)。

五、语言点练习 Exercises concerning the language points

一、用"有点儿"回答问题 **Answer the following questions with "有点儿".**

1. 你现在累不累？

2. 汉语难吗？

3. 那个商店怎么样？

4. 你的房间怎么样？

5. 你看这条裤子怎么样？

二、用"有点儿"或"一点儿"填空 **Fill in the blanks with "有点儿" or "一点儿".**

1. 这条裤子 _____ 大,有小 _____ 的吗？

2. 我喜欢穿 _____ 的鞋。

3. 我想吃 _____ 面包(miànbāo, bread)。

4. 今天的课文 _____ 难。

5. 你的病(bìng, illness)好 _____ 了吗？

6. 在公司工作很好,不过 _____ 累。

7. 太贵了,便宜_____,行吗?

六、综合练习　Comprehensive exercises

一、看图说话,练习典型句

Make up dialogues according to the pictures and practise the typical sentence patterns.

1. 香蕉(xiāngjiāo, banana)

　橘子(júzi, orange)

　梨(lí, pear)

　A:_____怎么卖?

　B:_____一斤。

2. 件(jiàn)　　毛衣(máoyī, sweater)

　条(jiàn)　　裤子(kùzi, trousers)

　双(shuāng)　鞋(xié, shoes)

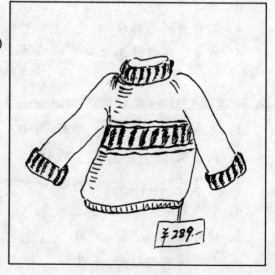

　A:_____ 多少钱?

　B:_____元。

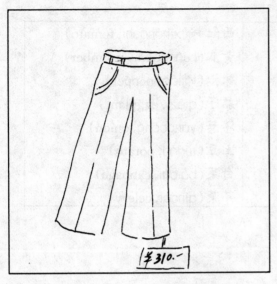

3. 辆(liàng)

自行车(zìxíngchē, bicycle)

A. _____多少钱?

B. _____块。

二、替换练习　Substitution exercises

1. A: 您买什么?

B: 苹果多少钱一斤?

A: 这种三块。那种五块钱两斤。

替换词语　Substitute words and phrases

苹果	西红柿（xīhóngshì, tomato）
香蕉（xiāngjiāo, banana）	黄瓜（huángguā, cucumber）
橘子（júzi, orange）	辣椒（làjiāo, pepper）
西瓜（xīguā, water melon）	茄子（qiézi, eggplant）
葡萄（pútao, grape）	洋葱（yángcōng, onion）
桃（táo, peach）	土豆（tǔdòu, potato）
梨（lí, pear）	白菜（báicài, cabbage）
	芹菜（qíncài, celery）

2. A：这儿有<u>啤酒</u>吗？

B：有。要几<u>瓶</u>？

A：两<u>瓶</u>。

B：还要别的吗？

A：不要了。请问，哪儿卖<u>茶</u>？

B：那儿卖。

替换词语　Substitute words and phrases

牛奶（niúnǎi, milk）	油（yóu, cooking oil）
面包（miànbāo, bread）	盐（yán, salt）
酸奶（suānnǎi, yoghurt）	醋（cù, vinegar）
奶酪（nǎilào, cheese）	酱油（jiàngyuó, soysauce）
黄油（huángyóu, butter）	味精（wèijīng, gourmet powder）
鸡蛋（jīdàn, egg）	葱（cōng, spring onion）
香肠（xiāngcháng, sausage）	姜（jiāng, ginger）
果汁（guǒzhī, juice）	蒜（suàn, garlic）

3. A：这<u>条</u><u>裤子</u>怎么卖？

B：<u>一百三十</u>块。

A：太贵了，便宜点儿怎么样？

B：您说多少钱？

A：<u>七十</u>块。

B：不行不行，最低<u>九十</u>块。

替换词语　Substitute words and phrases

裙子（qúnzi, skirt）	条
袜子（wàzi, sock）	双
衬衫（chènshān, shirt）	件
大衣（dàyī, overcoat）	件
毛衣（máoyī, sweater）	件
帽子（màozi, hat）	顶（dǐng）
衣服	件

三、自由会话：在市场、商店买东西

Free talk: Shopping at a market and in a department store.

补充句子 Supplementary sentences

1. 西瓜 一 斤 多少 钱?

   Xīguā yì jīn duōshao qián?

   How much does the watermelon cost per jin?

2. 这个 打 折 吗?

   Zhège dǎ zhé ma?

   Is it sold at a discount?

3. 打 几 折?

   Dǎ jǐ zhé?

   How much is the discount?

4. 不买 什么, 随便 看看。

   Bù mǎi shénme, suíbiàn kànkan.

   I have nothing particular to buy. I just want to have a look.

5. 这儿 有 打印 纸 吗?

   Zhèr yǒu dǎyìn zhǐ maK?

   Are you selling printing paper here?

6. 可以 试试 吗?

   Kěyǐ shìshi ma?

   May I try it on?

7. 您 先 尝尝。

   Nín xiān chángchang.

   You may taste it first.

8. 牛奶 是 今天 的 吗?

   Niúnǎi shì jīntiān de ma?

   Is the milk produced today?

14 楼在留学生食堂北边

Building 14 is to the north of the foreign students' dining hall.

一、典型句 Typical sentence patterns

1. …… 有 ……。
   …… yǒu …….

桌子 上 / 两 本 词典
Zhuōzi shang / liǎng běn cídiǎn
学校 北边 / 一 个 商店
Xuéxiào běibian / yí ge shāngdiàn

2. …… 是 ……。
   …… shì …….

左边 / 我 大哥
Zuǒbian / wǒ dàgē
东边 / 商店
Dōngbian / shāngdiàn

3. …… 在 ……。
   …… zài …….

14 楼 / 留学生 食堂 北边
Shísì lóu / liúxuéshēng shítáng běibian
邮局 / 西边
Yóujú / xībian

二、课文 Text

1.（在大卫的房间） In David's room

大卫　　：你 有 没有 《英汉 词典》？
Dàwèi　：Nǐ yǒu méiyǒu 《Yīng-Hàn Cídiǎn》?

同屋　　：有。
tóngwū：Yǒu.

大卫　　：我 可以用 一下儿 吗？
Dàwèi　：Wǒ Kěyǐ yòng yíxiàr ma?

同屋　　：用 吧。桌子 上 有 两 本 词典，＊那 本 小
tóngwū：Yòng ba. Zhuōzi shang yǒu liǎng běn cídiǎn,　nà běn xiǎo

　　　　的 就 是。
　　　　de jiù shì.

2.（小林去朋友的宿舍玩儿，看到桌子上的照片）

Xiao Lin is visiting his friend in his dormitory. He sees a picture on the desk.

小 林　：这 是 你们 家里人 的 照片 吧？
Xiǎo Lín：Zhè shì nǐmen jiāli rén de zhàopiàn ba?

朋友　　：对。这 是 我 父母。
péngyou：Duì. Zhè shì wǒ fùmǔ.

小 林　：你 旁边 这 两 个人 是 谁？
Xiǎo Lín：Nǐ pángbiān zhè liǎng ge rén shì shuí?

朋友　　：是 我 哥哥。左边 是 大哥，右边 是 二哥。
péngyou：Shì wǒ gēge. Zuǒbian shì dàgē, yòubian shì èrgē.

3.读一读(1) **Read the following sentences.**

13 楼

超市　　　14 楼　　　邮局

留学生食堂

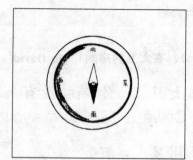

林　路　住　14　楼。　14　楼　在
Lín　Lù　zhù　shísì　lóu.　Shísì　lóu　zài

留学生　　食堂　北边。　东边　　有　一　个　邮局。西边　有　一
liúxuéshēng shítáng běibian.　Dōngbian yǒu yí　ge yóujú.　Xībian yǒu yí

个　小　超市。　北边　是 13　　楼。他 的 宿舍　离 教室　特别
ge xiǎo chāoshì.　Běibian shì　shísān lóu.　Tā de sùshè lí　jiàoshì tèbié

近,骑 自行车　五 分钟　　就 到　了。
jìn,　qí　zìxíngchē wǔ fēnzhōng jiù dào le.

4.读一读(2) **Read the folloing paragraph.**

大发 超市　　在　友谊 宾馆　　对面。　　坐　2　路、15　　路
Dàfā Chāoshì zài Yǒuyì Bīnguǎn duìmiàn.　Zuò èr lù、　shíwǔ lù

公共　　汽车 可以 到。 8 月 8 日 开 业, 欢迎　　光临。
gōnggòng qìchē kěyǐ dào.　Bā yuè bā rì　kāi yè,　huānyíng guānglín.

三、生词　New words

1.桌子	zhuōzi	（名）	table, desk
2.本	běn	（量、名）	*a measure word*
3.词典	cídiǎn	（名）	dictionary
4.就	jiù	（副）	just

148

5. 里	li	(名)	inside
6. 旁边	pángbiān	(名)	beside, side
7. 哥哥	gēge	(名)	elder brother
8. 左边	zuǒbian	(名)	left
9. 右边	yòubian	(名)	right
10. 食堂	shítáng	(名)	dining hall, canteen
11. 北边	běibian	(名)	north
12. 东边	dōngbian	(名)	east
13. 邮局	yóujú	(名)	post office
14. 西边	xībian	(名)	west
15. 超市	chāoshì	(名)	supermarket
16. 离	lí	(介)	from
17. 教室	jiàoshì	(名)	classroom
18. 特别	tèbié	(副)	special, specially
19. 近	jìn	(形)	close, near
20. 骑	qí	(动)	to ride
21. 自行车	zìxíngchē	(名)	bicycle
22. 分钟	fēnzhōng	(名)	minute
23. 对面	duìmiàn	(名)	opposite
24. 路	lù	(量、名)	road
25. 公共	gōnggòng	(形)	public
26. 汽车	qìchē	(名)	car, bus
(公共汽车)	(gōnggòng qìchē)		(bus)

149

27. 日	rì	（名）	date
28. 开业	kāi yè		to open for business,
			to start business
29. 光临	guānglín	（动）	to be present

专名　Proper nouns

1.《英汉词典》　　《Yīng-Hàn Cídiǎn》 *An English-Chinese Dictionary*

2. 大发超市　　　Dàfā Chāoshì　　　Dafa Supermarket

3. 友谊宾馆　　　Yǒuyì Bīnguǎn　　　Friendship Hotel

四、注释　Notes

那本小的就是。It is the small one.

"就"在这里表示确认。

"就" is used here for identification.

例如：(1) A：谁是赵老师？

　　　　　B：我就是。

　　　(2) 这就是我们的学校。

五、语言点　Language points

有、在、是　有，在 and 是

汉语里"有、在、是"可以表示存在。

In Chinese 有，在 and 是　can be used to indicate existence.

常用句式1　Sentence pattern one:

处所词 ＋ 有 ＋ 名词　　Locational word ＋ 有 ＋ N

例如：(1) 东边有一个邮局。

　　　(2) 桌子上有两本词典。

150

常用句式 2 Sentence pattern two

处所词 + 是 + 名词 Locational word + 是 + N

例如:(1) 旁边是一家银行。

　　　(2) 左边是我哥哥,右边是我弟弟。

常用句式 3 Sentence pattern three

名词 + 在 + 处所词 N + 在 + locational word

例如:(1) 书在书架上。

　　　(2) 书店在邮局东边。

不说　We do not say:

　　　＊ 词典有桌子上。

　　　＊ 左边在我弟弟。

　　　＊ 我弟弟是左边。

　　　＊ 在东边有邮局。

注意:当宾语是定指的名词时,前边应该用"是",不能用"有"。

Note:When the object is a definite noun phrase, "是" rather than "有" should be used be-

　　　fore this object.

例如:东边是清华大学。

不说　We do not say:

　　　＊ 东边有清华大学。

　　　＊ 旁边有那家超市。

六、语言点练习 Exercises concerning the language points

用"在、是、有"填空 Fill in the blanks with 在,是, and 有.

1. 我家对面 _____ 一个大楼。

2. 我们学校旁边 _____ 两家超市。

3. 银行 _____ 邮局北边。

4. 食堂南边 _____ 十四楼,东边 _____ 一个小商店。

5. 我旁边 _____ 我姐姐。

6. 桌子上 _____ 两本汉语书。

七、综合练习　Comprehensive exercises

一、看图说话，练习典型句
Make up dialogues according to the pictures and practise the typical sentence patterns.

1. A：用一下儿你的_____，

　　　可以吗？

　　B：用吧。_____ 在 _____

　　　上呢。

2. A：宿舍旁边有银行吗？

　　B：有，宿舍东边就是_____。

　　A：_____ 旁边有 _____ 吗？

　　B：_____。

3. A：这是我们家的照片。这是我。

我旁边是……。

B：_____ 是谁？

A：_____ 是_____。

4. A：故宫在哪儿？

B：你看，这是 _____。

_____ 是 _____。

_____ 在 _____。

天安门 (Tiān'ānmén, Tian'anmen)，

故宫 (Gùgōng, the Palace Museum)，

景山 (Jǐngshān, Jingshan)，

北海 (Běihǎi, Beihai)

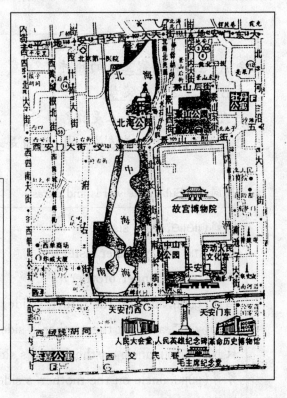

二、替换练习　Substitution exercises

1. A：你有没有《英汉词典》？

B：有。

A：我可以用一下儿吗？

B：用吧。桌子上有两本词典，那本小的就是。

替换词语　Substitute words and phrases

书架 (shūjià, bookshelf) 柜子 (guìzi, cupboard) 床 (chuáng, bed) 窗户 (chuānghu, window) 写字台 (xiězìtái, writing desk) 抽屉 (chōuti, drawer) 电脑桌 (diànnǎo zhuō, 　　　　computer desk)	上边 里边 下边 旁边	笔 (bǐ, pen, pencil) / 支 (zhī) 衣服 (yīfu, dress) / 件 鞋 / 双 (xié / shuāng, shoe / pair) 橡皮 (xiàngpí) / 块 (kuài) 水果刀 (shuǐguǒ dāo, fruit knife) / 　　　把 (bǎ) 涂改液 (túgǎiyè, correcting fluid) / 　　　瓶 (píng, bottle) 纸巾 (zhǐjīn, tissue paper) / 包 　　　(bāo, pack)

2．A：这是你们家里人的照片吧?

B：对。这是我父母。

A：你旁边这两个人是谁?

B：是我哥哥。左边是大哥,右边是二哥。

替换词语　Substitute words and phrases

姐姐 (jiějie, elder sister) 妹妹 (mèimei, younger sister) 弟弟 (dìdi, younger brother) 姑姑 (gūgu, aunt on the father's side) 姨妈 (yímā, aunt on the mother's side) 叔叔 (shūshu, uncle on the father's side) 舅舅 (jiùjiu, uncle on the mother's side) 爷爷 (yéye, grandfather on the father's side) 奶奶 (nǎinai, grandmother on the father's 　　side)	前边 (qiánbian, front) 后边 (hòubian, back)

三、说话,选用下面的相关生词　Use some of the words below and talk.

1．介绍你的房间里有什么东西。Say what is in your room.

2. 介绍你家所在的环境。Say what is around your home.

我的房间里有……

桌子上有……

……在……

……是……

我家附近有……

东边有……

东边 西边 南边(nánbian, south) 北边 前边(qiánbian, front) 后边(hòubian, back) 左边 右边 中间 (zhōngjiān, middle) 旁边 对面 附近	床(chuáng, bed) 衣柜(yīguì, 　　wardrobe) 书架 (shūjià, bookshelf) 椅子(yǐzi, chair) 台灯 (táidēng, desk lamp)	张 个 个 把 (bǎ) 个	饭馆 (fànguǎn, restaurant) 商店 电影院 (diànyǐngyuàn, 　　cinema) 银行 邮局 书店 (shūdiàn, bookstore) 超市 住宅楼(zhùzhái lóu, 　　residence building) 汽车站(qìchē zhàn, 　　bus stop)

补充句子　Supplementary sentences

1. 桌子　上　有　两　本　词典，哪　本　是　你　的？
Zhuōzi shang yǒu liǎng běn cídiǎn, nǎ běn shì nǐ de?
There are two dictionaries on the desk. Which is yours?

2. 你　的　笔　在　哪儿？桌子　上　　没有　笔　啊。
Nǐ de bǐ zài nǎr?　Zhuōzi shang méiyǒu bǐ a.
Where is your pencil? There is no pencil on the desk.

3. 我 在 他们 俩 中间。

Wǒ zài tāmen liǎ zhōngjiān.

I am between them.

4. 你 后面 的 那个 人 是 谁？

Nǐ huòmian de nàge rén shì shuí?

Who is that person behind you?

5. 我们 家旁边 有 很 多 商店。

Wǒmen jiā pángbiān yǒu hěn duō shāngdiàn.

There are many stores near my home.

6. 汽车 站 就 在 前边， 离 这儿 不 远。

Qìchē zhàn jiù zài qiánbian, lí zhèr bù yuǎn.

The bus stop is just ahead of us. It's not far from here.

7. 他 家 就 在 地铁站 斜 对面。

Tā jiā jiù zài dìtiě zhàn xié duìmiàn.

His home is just sideways opposite the subway station.

156

去邮局怎么走

How to get to the post office?

一、典型句　Typical sentence patterns

1. 请　问，去 …… 怎么　走？
   Qǐng wèn, qù …… zěnme zǒu?

邮局
yóujú
留学生　　食堂
liúxuéshēng shítáng

2. 我　问　一下儿，附近　有 …… 吗？
   Wǒ wèn yíxiàr,　fùjìn yǒu …… ma?

银行
yínháng
地铁站
dìtiě zhàn

3. 去 …… 怎么　坐 车？
   Qù …… zěnme zuò chē?

火车站
huǒchē zhàn
长城　　　饭店
Chángchéng Fàndiàn

4. 坐　几 路 车　能　到 ……？
   Zuò jǐ lù chē néng dào ……?

长城　　　饭店
Chángchéng Fàndiàn
北京　大学
Běijīng Dàxué

5. ······ 在 哪儿?
······ zài nǎr?

地铁站
Dìtiě zhàn
14 楼
Shísì lóu

6. ······ 离 ······ 有 多 远?
······ lí ······ yǒu duō yuǎn?

地铁站 / 这儿
Dìtiě zhàn / zhèr
教室 / 你 的 宿舍
Jiàoshì / nǐ de sùshè

7. 到 路口拐 弯 吗?
Dào lùkǒu guǎi wān ma?

二、课文 Text

1.(在路上) On the way

久美: 请 问, 去 邮局 怎么 走?
Jiǔměi: Qǐng wèn, qù yóujú zěnme zǒu?

路人 : 一直 走。
lùrén : Yìzhí zǒu.

久美: 对 不 起,我 再 问
Jiǔměi: Duì bu qǐ, wǒ zài wèn

一下儿, 附近 有
yíxiàr, fùjìn yǒu

银行 吗?
yínháng ma?

路人 :你 看, 前边 那座 高 楼 就 是。
lùrén :Nǐ kàn, qiánbian nà zuò gāo lóu jiù shì.

2.（在路上）**On the way**

小　　刘：*劳 驾，我 问 一下儿，地铁站 在 哪儿？
Xiǎo Liú：Láo jià, wǒ wèn yíxiàr, dìtiě zhàn zài nǎr?

路人　　：在 那座 新 的 立交桥 南边。
lùrén　　：Zài nà zuò xīn de lìjiāoqiáo nánbian.

小　　刘：离 这儿 有 多 远？
Xiǎo Liú：Lí zhèr yǒu duō yuǎn?

路人　　：大概 四五 百 米。
lùrén　　：Dàgài sì-wǔ bǎi mǐ.

3. 你知道……吗？

小　　张　：你知道 去火车 站 怎么 坐 车 吗？
Xiǎo Zhāng：Nǐ zhīdao qù huǒchē zhàn zěnme zuò chē ma?

小　　赵　：小 刘 告诉 我，在 学校 门口 坐 722 路
Xiǎo Zhào　：Xiǎo Liú gàosu wǒ, zài xuéxiào ménkǒu zuò qī èr èr lù

公共 汽车，在 西直门 下 车，然后 换
gōnggòng qìchē, zài Xīzhímén xià chē, ránhòu huàn

地铁。
dìtiě.

小　　张　：坐 几路车 能 到 长城 饭店？
Xiǎo Zhāng：Zuò jǐ lù chē néng dào Chángchéng Fàndiàn?

小　　赵　：我 也 不太 清楚。你再 问问 别人 吧。
Xiǎo Zhào　：Wǒ yě bú tài qīngchu. Nǐ zài wènwen biéren ba.

4.（在出租汽车上）**In a taxi**

司机　　：您 去 哪儿？
sījī　　：Nín qù nǎr?

159

乘客　　：幸福　大街。

chéngkè　：Xìngfú Dàjiē.

（到了幸福大街十字路口　Arriving at the crossroads of Xingfu Avenue）

司机　　：到　路口　拐　弯　吗？

sījī　　：Dào lùkǒu guǎi wān ma?

乘客　　：往　右　拐，　然后　一直　走，　到　第二个　路口　再

chéngkè　：Wǎng yòu guǎi, ránhòu yìzhí zǒu, dào dì-èr ge lùkǒu zài

　　　　　往　左　拐。

　　　　　wǎng zuǒ guǎi.

乘客　　：到　了。就　停　这儿　吧。

chéngkè　：Dào le. Jiù tíng zhèr ba.

三、生词　New words

1. 走	zǒu	（动）	to walk, to go
2. 一直	yìzhí	（副）	straight
3. 附近	fùjìn	（名）	nearby, the neighbourhood
4. 前边	qiánbian	（名）	front
5. 座	zuò	（量）	*a measure word*
6. 高	gāo	（形）	high, tall
7. 劳驾	láo jià		excuse me
8. 地铁	dìtiě	（名）	subway, underground railroad
9. 站	zhàn	（名）	stop, station
10. 新	xīn	（形）	new

160

11.	立交桥	lìjiāoqiáo	（名）	overpass
12.	南边	nánbian	（名）	south
13.	远	yuǎn	（形）	far
14.	大概	dàgài	（副）	about, perhaps
15.	米	mǐ	（量）	meter
16.	知道	zhīdao	（动）	to know
17.	告诉	gàosu	（动）	to tell
18.	门口	ménkǒu	（名）	doorway
19.	下(车)	xià(chē)	（动）	to get off(the bus)
20.	能	néng	（能愿）	can, may be able to
21.	清楚	qīngchu	（形）	clear
22.	别人	biéren	（代）	other people
23.	路口	lùkǒu	（名）	cross, junction, intersection
24.	拐弯	guǎi wān		to turn
25.	往	wǎng	（介）	to, towards
26.	拐	guǎi	（动）	to turn
27.	停	tíng	（动）	to stop

专名 Proper nouns

1.	刘	Liú		a surname
2.	西直门	Xīzhímén		name of a place
3.	幸福大街	Xìngfú Dàjiē		Xingfu Avenue

四、注释　Notes

劳驾，……　Excuse me

向别人开口求助时可以先说："劳驾，……"也可以说："您好，请问……"。

When you ask somebody for a favour, you may begin by saying "劳驾，……" or "您好，请问……".

例如：(1) 请问，去天安门怎么走？

　　　(2) 劳驾，请问 4 路车车站在哪儿？

　　　(3) 您好，我问一下儿，去北京大学怎么坐车？

五、语言点　Language points

用"多"提问　Asking questions with "多"

汉语里问高度、长度、宽度、远近、大小、重量等可以用"多＋高/长/宽/远/大/重……"形式。

In Chinese questions about height, length, width, distance, size, weight, etc. can be asked in the form of "多＋高/长/宽/远/大/重……".

例如：(1) 火车站离这儿多远？

　　　(2) 那座楼有多高？

　　　(3) 那家超市有多大？

除非强调的时候，一般不说：

Unless for the purpose of emphasis, it is generally improper to say:

＊多矮/＊多短/＊多窄/＊多近/＊多小 /＊多轻

六、语言点练习　Exercises concerning the language points

一、对划线部分提问，并回答

Ask questions about the underlined parts and then answer them.

例：小明今年十二了。

　　小明今年多大了？

　　——他今年十二岁了。

1. 他家离清华大学有三百米。（远）

162

2. 那条鱼(yú, fish)三斤。(重 zhòng, weigh)

3. 那座楼四十米。(高)

4. 我哥哥1.80米。(高)

5. 那条路三十米宽。(宽 kuān, wide)

6. 这座立交桥1000米。(长 cháng, long)

二、用"从"和"离"填空　**Fill in the blanks with "从" and "离".**

1. 北京大学 _____ 颐和园不远。

2. 你 _____ 哪儿来的?

3. _____ 这儿到我家很近。

4. 现在 _____ 下课还有几分钟?

5. _____ 三点到五点我都在家。

6. 那儿 _____ 学校太远了。

7. 我不想 _____ 北京回家,我还要去旅行。

七、综合练习　Comprehensive exercises

一、看图说话,练习典型句

Make up dialogues according to the pictures and practise the typical sentence patterns.

1. A:请问,去_____怎么走?

　(_____,_____在哪儿?)

　B:一直走。_____就是。

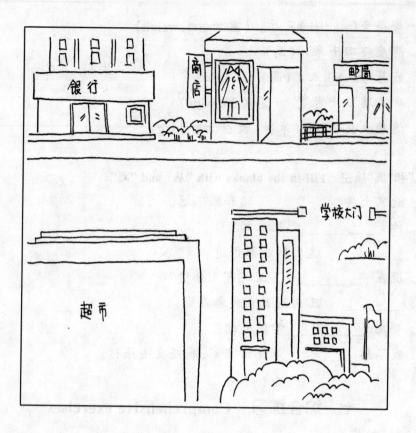

2. A: 请问, 附近有_____吗?

B: 有, _____在_____对面。

——有, 在_____旁边。

3. A: 您好! 去_____怎么坐车?

B: 先坐_____到_____,

再换_____。

164

二、替换练习　Substitution exercises

1. A: 请问, 去<u>邮局</u>怎么走?

   B: <u>一直走</u>。

   A: 对不起, 我再问一下儿, 附近有<u>银行</u>吗?

   B: 你看, 前边那座<u>高</u>楼就是。

替换词语　Substitute words and phrases

超市 办公楼(bàngōng lóu, office building) 食堂	往前走就是 对面就是	新 大 三层

2. A: 你知道去<u>火车站</u>怎么坐车吗?

   B: 小刘告诉我在学校门口坐<u>722</u>路<u>公共汽车</u>, 在<u>西直门</u>下车, 然后换<u>地铁</u>。

   A: 坐几路车能到<u>长城饭店</u>?

   B: 我也不太清楚。你再问问别人吧。

替换词语　Substitute words and phrases

公安局(gōng'ānjú, 　　　public security bureau) 大使馆(dàshǐguǎn, embassy) 飞机场(fēijīchǎng, airport)	电车(diànchē, trolley bus) 轻轨列车(qīngguǐ lièchē, light train)

三、对话　Make up dialogues.

1. 问路　Ask for directions.

2. 介绍你们的学校/公司的环境

   Describe the surroundings of your school/company.

   我们的学校在……

   左边有……

   前边是……

补充句子 Supplementary sentences

1. 我 打听 一下儿, 去 银行 怎么 走?

   Wǒ dǎtīng yíxiàr, qù yínháng zěnme zǒu?

   Can you tell me how to get to the bank?

2. 往 前 走, 就 是 邮局。

   Wǎng qián zǒu, jiù shì yóujú.

   Go ahead and you will see the post office.

3. 银行 离这儿不远, 走 几步就能 看到。

   Yínháng lí zhèr bù yuǎn, zǒu jǐ bù jiù néng kàndào.

   The bank is not far from here. A few steps forward and you will see it.

4. 你 先 坐 地铁 到 西单, 上来 以后 车 就 多 了。

   Nǐ xiān zuò dìtiě dào xīdān, shànglai yǐhòu chē jiù duō le.

   You first take the subway to Xidan. When you come out of the station, you will see lots of buses.

5. 很 多 车 都 到 火车 站。

   Hěn duō chē dōu dào huǒchē zhàn.

   Many buses go to the train station.

166

6. 你 看看　地图，新 开 的 线路 有的　我 也 不 知道。

Nǐ kànkan dìtú, xīn kāi de xiànlù yǒude wǒ yě bù zhīdào.

You'd better look it up in a map. I myself don't know some of the new lines.

7. 咱们　绕远　　了。

Zánmen ràoyuǎn le.

We are making a detour.

8. 你 坐错　车 了。

Nǐ zuòcuò chē le.

You got on the wrong bus.

9. 方向　　反 了。

Fāngxiàng fǎn le.

You are going in the opposite direction.

167

你有什么爱好
What hobbies do you have?

一、典型句　Typical sentence patterns

1. 你 有 什么 　爱好?
   Nǐ yǒu shénme àihào?

运动
yùndòng
听 音乐
tīng yīnyuè

2. 你 喜欢 …… 吗?
   Nǐ xǐhuan …… ma?

3. …… 喜欢 ……。
   …… xǐhuan …….

我 / 看 书
Wǒ / kàn shū
他 / 旅 行
Tā / lǚxíng

4. 我 最 大 的 爱好 就 是 ……。
   Wǒ zuì dà de àihào jiù shì …….

旅 行
lǚxíng
上 网
shàng wǎng

5. 我 最 喜欢 的 运动 是 ……。
   Wǒ zuì xǐhuan de yùndòng shì …….

打 网球
Dǎ wǎngqiú

踢 足球
Tī zúqiú

6. …… 对 …… 比较 有 兴趣。
   …… duì …… bǐjiào yǒu xìngqù.

我 / 做 菜
Wǒ / zuò cài

他 / 足球
Tā / zúqiú

7. …… 对 …… 一点儿 兴趣 也 没有。
   …… duì …… yìdiǎnr xìngqù yě méiyǒu.

她 / 球
Tā / qiú

他 / 逛 商店
Tā / guàng shāngdiàn

二、课文　Text

1. 你有什么爱好?

小 李 : 你 有 什么 爱好?
Xiǎo Lǐ : Nǐ yǒu shénme àihào?

小 孙 : 我 喜欢 看 书、听 音乐, 你 呢?
Xiǎo Sūn: Wǒ xǐhuan kàn shū、tīng yīnyuè, nǐ ne?

小 李 : 我 最 大 的 爱好 就 是 旅行。
Xiǎo Lǐ : Wǒ zuì dà de àihào jiù shì lǚxíng.

169

2. 你喜欢运动吗?

小　李　: 你喜欢　运动　吗?
Xiǎo Lǐ　: Nǐ xǐhuan yùndòng ma?

小　孙　: 喜欢。我　最喜欢　的运动　是打网球。
Xiǎo Sūn: xǐhuan. Wǒ zuì xǐhuan de yùndòng shì dǎ wǎngqiú.

小　李　: 你网球　打得怎么样?
Xiǎo Lǐ　: Nǐ wǎngqiú dǎ de zěnmeyàng?

小　孙　: 还行。你喜欢什么　运动?
Xiǎo Sūn: Hái xíng. Nǐ xǐhuan shénme yùndòng?

小　李　: 打篮球、踢足球、游泳，　什么　运动　我都
Xiǎo Lǐ　: Dǎ lánqiú、tī zúqiú、yóuyǒng, shénme yùndòng wǒ dōu

　　　　　喜欢。
　　　　　xǐhuan.

3. 休息的时候,你一般做什么?

小　赵　　: 休息的时候，你一般做什么?
Xiǎo Zhào : Xiūxi de shíhou, nǐ yìbān zuò shénme?

明月　　　: 没什么　特别的事，看看　电视，上上
Míngyuè　 : Méi shénme tèbié de shì, kànkan diànshì, shàngshang

　　　　　　网，逛逛　　商店。
　　　　　　wǎng, guàngguang shāngdiàn.

小　赵　　: 是不是女孩儿都爱逛　商店?
Xiǎo Zhào : Shì bu shì nǚhái dōu ài guàng shāngdiàn?

明月　　　: 不少　女孩儿有这个爱好。
Míngyuè　 : Bù shǎo nǚhái yǒu zhège àihào.

170

4.听说你做菜做得挺好？

小　赵　：听说　你做菜
Xiǎo Zhào : Tīngshuō nǐ zuò cài

做　得挺　好？
zuò de tǐng hǎo?

明月　　：＊说　不上
Míngyuè　：　Shuō bu shàng

好，不过我对
hǎo, búguò wǒ duì

做菜比较　有
zuò cài bǐjiào yǒu

兴趣。
xìngqù.

小　赵　：我跟你的兴趣　差不多。
Xiǎo Zhào : Wǒ gēn nǐ de xìngqù chàbuduō.

明月　　：是吗？你也会做菜？
Míngyuè　：Shì ma? Nǐ yě huì zuò cài?

小　赵　：＊一点儿也不会。我只对吃比较有兴趣。
Xiǎo Zhào :　Yìdiǎnr yě bú huì. Wǒ zhǐ duì chī bǐjiào yǒu xìngqù.

5.读一读　Read the following paragraph.

小　王　是个球迷，足球、篮球、网球，　什么　球他
Xiǎo Wáng shì ge qiúmí, zúqiú、lánqiú、wǎngqiú, shénme qiú tā

都喜欢。不过他的女朋友　明月　对球一点儿兴趣　也
dōu xǐhuan. Búguò tā de nǚpéngyou Míngyuè duì qiú yìdiǎnr xìngqù yě

171

没有。 她的爱好是买东西。而且她喜欢小王陪她
méiyǒu. Tā de àihào shì mǎi dōngxi. Érqiě tā xǐhuan Xiǎo Wáng péi tā

一起去。可是，小王一点儿也不爱逛商店。你
yìqǐ qù. Kěshì, Xiǎo Wáng yìdiǎnr yě bú ài guàng shāngdiàn. Nǐ

说怎么办呢？
shuō zěnme bàn ne?

三、生词 New words

1. 运动	yùndòng	（名、动）	sport
2. 打	dǎ	（动）	to play
3. 网球	wǎngqiú	（名）	tennis
4. 得	de	（助）	*a particle*
5. 篮球	lánqiú	（名）	basketball
6. 踢	tī	（动）	to kick, to play (football)
7. 足球	zúqiú	（名）	football, soccer
8. 游泳	yóuyǒng	（动）	to swim
9. 爱好	àihào	（动、名）	to like; hobby
10. 音乐	yīnyuè	（名）	music
11. 事	shì	（名）	thing
12. 上网	shàng wǎng		to be on the internet
13. 女孩儿	nǚháir	（名）	girl
14. 爱	ài	（动）	to like, to love

172

15. 菜	cài	(名)		dish
16. 说不上	shuō bu shàng			not so...
17. 差不多	chàbuduō	(形)		almost, nearly
18. 会	huì	(动、能愿)		can, be able to
19. 只	zhǐ	(副)		only
20. ……迷	……mí	(名)		fan
21. 女朋友	nǚpéngyou	(名)		girl friend
22. 球	qiú	(名)		ball game
23. 东西	dōngxi	(名)		thing
24. 而且	érqiě	(连)		and, but also
25. 陪	péi	(动)		to accompany
26. 可是	kěshì	(连)		but
27. 办	bàn	(动)		to do
（怎么办）	（zěnme bàn）			(what to do?)

专名 Proper noun

明月　　　　　Míngyuè　　　　　name of a person

四、注释 Notes

1. 说不上好 **can not be said to be good**

"说不上"的意思是"没有达到所说的某个程度"。

"说不上" means not up to the mentioned degree.

例如:(1) 她说不上漂亮。

(2) 今天的作业说不上难,可是挺多的。

2. 一点儿也不会　　not at all, not...in the slightest

汉语里完全否定可以用"一点儿也……"句式。

In Chinese complete negation can be expressed in the form of "一点儿也……".

常用句式 1：Sentence pattern one：

名词/代词＋一点儿也不＋形容词＋想/喜欢

Noun/Pronoun ＋ 一点儿也不 ＋ Adjective ＋ 想/喜欢

例如：(1) 他一点儿也不喜欢运动。

　　　(2) 我一点儿也不想去。

　　　(3) 汉语一点儿也不难。

常用句式 2：Sentence pattern two：

名词/代词＋一点儿＋名词＋也没＋动词　　Noun/Pronoun＋一点儿＋N＋也没＋V

例如：(1) 我对足球一点儿兴趣也没有。

　　　(2) 他一点儿水(shuǐ, water)也没喝(hē, to drink)。

　　　(3) 他一点儿也没喝。

不说　　We do not say：

　　＊他一点儿也没喝水。

　　＊他一点儿也没学汉语。

五、语言点　　Language points

1. 程度补语　　Complement of degree

常用句式：Sentence pattern：

动词/形容词＋表程度的词语　　V/Adj ＋ Degree complement

动词或形容词后边的补充说明成分叫补语。说明动作达到的程度或动作所涉及的事物的情态的，叫做程度补语。简单的程度补语一般由形容词充当，程度补语与动词之间用结构助词"得"来连接。

The descriptive element following a verb or an adjective is called a complement. A complement describing an action or the object of an action is called a degree complement. Simple degree complements are usually served by adjectives and are linked with verbs by the structural particle "得".

174

常用句式 1:Sentence pattern one:

$$\boxed{主语 + 动词 + 得 + 程度补语}\quad \text{Subject} + \text{V} + \text{得} + \text{Degree complement}$$

例如:(1) 他写得很好。

(2) 我们玩儿得很高兴。

常用句式 2: Sentence pattern two:

$$\boxed{主语 + 动词 + 得 + 程度补语}\quad \text{Subject} + \text{V} + \text{得} + \text{Degree complement}$$

例如:(1) 汉字写得很好。

(2) 昨天的作业做得怎么样?

常用句式 3: Sentence pattern three:

$$\boxed{主语_1 + 主语_2 + 动词 + 得 + 程度补语}$$

$$\text{Subject } 1 + \text{Subject } 2 + \text{V} + \text{得} + \text{Degree complement}$$

例如:(1) 他汉字写得很好。

(2) 汉字他写得很好。

常用句式 4:Sentence pattern four:

$$\boxed{主语 + 动词 + 宾语 + 动词 + 得 + 程度补语}$$

$$\text{Subject} + \text{V} + \text{Object} + \text{V} + \text{得} + \text{Degree complement}$$

例如:(1) 他写汉字写得很漂亮。

(2) 你游泳游得怎么样?

(3) 我游泳游得很快(kuài, fast)。

这种句式的否定式是:$\boxed{\text{V} + 得 + 不 + 程度补语}$

The negative form for a sentence containing a complement of degree is:V + 得 + 不 + Degree complement

例如:(1) 我游泳游得不快。

(2) 网球他打得不好。

带程度补语的句子可以用<u>正反疑问句</u>的形式提问:

Affirmative-negative question forms can be used to ask questions about sentences containing complements of degree.

(1) 你汉字写得好不好?

(2) 你游泳游得快不快?

2.周遍性主语句 **Universal subject clause:"Every thing/All ..."**

疑问代词"什么、哪儿、谁"等可以表示周遍性肯定或否定。

Interrogative pronouns such as 什么, 哪儿, 谁, etc, can be used to express universal affirmation or negation.

常用句式 1:Sentence pattern one:

……什么+(N)…什么+(N)+都/也…都/也……

例如:(1) 这儿什么都有。

　　　(2) 什么运动我都喜欢。

　　　(3) 他什么爱好也没有。

　　　(4) 我什么书都喜欢看。

与"也"连用时一般不用于肯定句式。

Usually "也" is not used to express universal affirmation.

不说　We do not say:

　　　* 我什么菜也会做。

常用句式 2:Sentence pattern two:

……哪儿都……

例如:(1) 我哪儿都想去。

　　　(2) 他哪儿也不去。

常用句式 3:Sentence pattern three:

……谁都/也……

例如:(1) 谁都喜欢休息。

　　　(2) 谁都不知道他在哪儿。

　　　(3) 我谁也不认识(rénshi, know)。

不说　We do not say:

　　　* 我谁也认识。

六、语言点练习　Exercises concerning the language points

一、用下面所给的词语组句　Make up sentences with the words and phrases given below.

例：起床　早

　　他每天起床起得很早。

1. 打网球　　好

2. 踢足球　　好

3. 做菜　　　好吃

4. 玩儿　　　高兴

5. 游泳　　　不错

6. 来教室　　早

二、改写下面的句子　Transform the following sentences.

例：他每天五点起床。

他每天起得很早。

1. 他今天八点就睡觉了。（早）

2. 小明十点起床。（晚 wǎn, late）

3. 美子七点半到教室。（早 zǎo, early）

4. 他今天睡了 11 个小时。（多）

5. 早饭（zǎofàn, breakfast）他只吃了半个面包（miànbāo, bread）。（少）

三、用"什么/哪儿/怎么/谁……都"回答问题

Answer the following questions with "什么/哪儿/怎么/谁…都".

例：A：你喜欢什么运动？踢足球还是打网球？

B：我什么运动都喜欢。

1. 你爱看哪国电影？中国电影还是美国电影？（电影 diànyǐng, film）

2. 你打算去哪儿玩？去北海公园（Běihǎi Gōngyuán, Beihai Park）还是颐和园（Yíhéyuán, the Summer Palace）？

3. 晚上你做什么？听音乐还是看电视？

4. 怎么去？骑车还是坐公共汽车？

5. 晚上吃什么？

6. 谁知道王老师家在哪儿？

七、综合练习　Comprehensive exercises

一、看图说话,练习典型句

Make up dialogues according to the pictures and practise the typical sentence patterns.

1. A:你喜欢什么运动?

　B:我最喜欢_____。

　　——我喜欢_____。

　　——我_____打得最好。

2. A:你有什么爱好?

　B:我最大的爱好是_____。

　　——我最喜欢_____。

3. A：你做菜做得怎么样？

B：我只对吃有兴趣。_____。

——我做得_____。

——我一点儿也不_____。

二、替换练习　Substitution exercises

1. A：你喜欢运动吗？

B：喜欢。我最喜欢的运动是打网球。

A：你网球打得怎么样？

B：还行。你喜欢什么运动？

A：打篮球、踢足球、游泳，什么运动我都喜欢。

替换词语　Substitute words and phrases

乒乓球（pīngpāngqiú, table tennis）

棒球（bàngqiú, baseball）

滑雪（huáxuě, snow skiing）

滑冰（huábīng, skating）

跑步（pǎobù, jogging）

保龄球（bǎolíngqiú, bowling）

打太极拳（tàijíquán, shadow boxing）

打高尔夫（gāo'ěrfūqiú, golf）

2.A: 你有什么爱好?

B: 我非常喜欢<u>看书</u>、<u>听音乐</u>,你呢?

A: 我最大的爱好就是<u>旅行</u>。

替换词语 Substitute words and phrases

跳舞(tiào wǔ, dance)

唱歌(chàng gē, sing)

下棋(xià qí, play chess)

画画儿(huà huàr, paint)

弹钢琴(tán gāngqín, play the piano)

三、说话,选用相关生词及句式 Choose appropriate words and patterns and talk.

1.说说你喜欢的运动。Talk about the sports you like.

2.说说你的爱好。Talk about your hobbies.

我最大的爱好是……

我最喜欢做的是……

……V + 得……

对……有兴趣

乒乓球、棒球、滑雪、滑冰、跑步、保龄球、跳舞、唱歌、下棋、画画儿……

补充句子 Supplementary sentences

1. 我 没 什么 特别 的 爱好。
Wǒ méi shénme tèbié de àihào.
I do not have any particular hobby.

2. 我 喜欢 打网球， 但 打 得 不 好。

Wǒ xǐhuan dǎ wǎngqiú, dàn dǎ de bù hǎo.

I like playing tennis, but I cannot play it well.

3. 我 喜欢 吃，不过 我 不 会 做 饭。

Wǒ xǐhuan chī, búguò wǒ bú huì zuò fàn.

I like eating, but I am not good at cooking.

4. 他 是 个 美食家。

Tā shì ge měishíjiā.

He is a gourmet.

5. 小明　是 个 足球迷。

Xiǎomíng shì ge zúqiúmí.

Xiao Ming is a football fan.

6. 我 就 爱 看 球赛。

Wǒ jiù ài kàn qiúsài.

I just like watching ball games.

7. 他 姐姐 钢琴　弹 得 好 极 了。

Tā jiějie gāngqín tán de hǎo jí le.

His sister is a marvelous piano player.

8. 他 最近 迷上　了 电影。

Tā zuìjìn míshang le diànyǐng.

He is crazy about films recently.

你怎么了
What's the matter with you?

一、典型句 *Typical sentence patterns*

1. 为 什么?
   Wèi shénme?

2. ······ 怎么 了?
   ······ zěnme le?

你
Nǐ
他
Tā

3. 怎么 回事?
   Zěnme huí shì?

高兴
gāoxìng
难
nán

4. 怎么 这么 ······?
   Zěnme zhème ······?

5. ······ 怎么 ······?
   ······ zěnme ······?

你 / 没 去看 比赛
Nǐ / méi qù kàn bǐsài
他 / 不 高兴
Tā / bù gāoxìng

6. 为 什么 ……?
   Wèi shénme ……?.

大海 是 蓝 的
dàhǎi shì lán de

睡觉 时 会 做 梦
shuìjiào shí huì zuò mèng

7. 是 这么 回事 啊。
   Shì zhème huí shì a.

8. 怪 不 得呢。
   Guài bu de ne.

二、课文 Text

1.（在教室里） In the classroom

林 路 ：老师， 这个 星期 五 我 要 请 假。
Lín Lù ：Lǎoshī, zhège xīngqī wǔ wǒ yào qǐng jià.

老师 ：为 什么？
lǎoshī ：Wèi shénme?

林 路 ：我 朋友 星期 五 来 北京， 我 得 去 飞机场 接 他。
Lín Lù ：Wǒ péngyou xīngqī wǔ lái Běijīng, wǒ děi qù fēijīchǎng jiē tā.

老师 ：行， 我 知道 了。
lǎoshī ：Xíng, wǒ zhīdao le.

2.（小白接到同学小孙的电话） Xiao Bai receives a phone call from his classmate Xiao Sun.

小 孙 ：明天 的 比赛我 不 能 参加 了。
Xiǎo Sūn ：Míngtiān de bǐsài wǒ bù néng cānjiā le.

小 白 ：怎么 回事？
Xiǎo Bái ：Zěnme huí shì?

小 孙 ：我 从 早上 开始 发烧， 现在 还没 好 呢。
Xiǎo Sūn ：Wǒ cóng zǎoshàng kāishǐ fā shāo, xiànzài hái méi hǎo ne.

小 白 ：是 吗? 去 医院 了 吗?
Xiǎo Bái ：Shì ma? Qù yīyuàn le ma?

小 孙 ：没 去，我 在 家 吃了 点儿 药。
Xiǎo Sūn ：Méi qù, wǒ zài jiā chīle diǎnr yào.

3.你怎么了?

明月 ：你怎么 了? 是 不
Míngyuè 　　Nǐ zěnme le? Shì bu

　　　　是 病 了?
　　　　shì bìng le?

小 王 ：我 有点儿 头
Xiǎo Wáng：Wǒ yǒudiǎnr tóu

　　　　疼。
　　　　téng.

明月 ：感冒 了 吧?
Míngyuè ：Gǎnmào le ba?

小 王 ：不 是, 昨天 晚上 酒 喝多 了。
Xiǎo Wáng：Bú shì, zuótiān wǎnshang jiǔ hē duō le.

明月 ：是 这么 回事 啊。以后 少 喝点儿 吧。
Míngyuè 　　Shì zhème huí shì a. 　Yǐhòu shǎo hē diǎnr ba.

4.（小白参加完球赛,哼着歌儿回到宿舍） Xiao Bai has just finished a football match. He is

　　coming back into his dormitory, humming.

同屋 ：踢完 了? 怎么 这么 高兴? 是 不是 赢 了?
tóngwū ：Tīwán le? Zěnme zhème gāoxìng? Shì bu shì yíng le?

184

小 白 ： ＊那 还 用 说， 3 比 0。
Xiǎo Bái ： 　Nà hái yòng shuō, sān bǐ líng.

同屋 ： ＊怪 不 得 呢。
tóngwū ： 　Guài bu de ne.

小 白 ：你 为 什么 没 去 看 比赛？
Xiǎo Bái ： Nǐ wèi shénme méi qù kàn bǐsài?

同屋 ：我 有点儿 事。
tóngwū ： Wǒ yǒudiǎnr shì.

5.读一读 **Read the following paragraph.**

小孩儿 有 不 懂 的 问题 时 喜欢 问 "为 什么"。
Xiǎoháir yǒu bù dǒng de wèntí shí xǐhuan wèn "wèi shénme".

比如 "为 什么 大海 是 蓝 的?"、＊"为 什么 睡觉 时 会
Bǐrú "wèi shénme dàhǎi shì lán de?"、 "Wèi shénme shuìjiào shí huì

做 梦?" 有的 问题 大人们 可能 也 不 知道 怎么 回答，
zuò mèng?" Yǒude wèntí dàrénmen kěnéng yě bù zhīdao zěnme huídá,

不过 他们 已经 没有 兴趣 问 "为 什么" 了。
búguò tāmen yǐjīng méiyǒu xìngqù wèn "wèi shénme" le.

三、生词 New words

1. 请假　　qǐng jià　　　　　　　　to ask for leave

2. 飞机场　fēijīchǎng　　（名）　　airport

3. 接　　　jiē　　　　　（动）　　to meet, to welcome

4. 比赛　　bǐsài　　　　（名、动）　match, competition;

　　　　　　　　　　　　　　　　　　to compete

5. 参加	cānjiā	(动)	to join, to attend, to take part in
6. 回	huí	(量)	*a measure word*
(怎么回事)	(zěnme huí shì)		(What is the matter?)
7. 发烧	fā shāo		fever, to have a fever
8. 医院	yīyuàn	(名)	hospital
9. 药	yào	(名)	medicine
10. 病	bìng	(名、动)	disease, illness, to fall ill
11. 头	tóu	(名)	head
12. 疼	téng	(动)	to ache, to pain
13. 感冒	gǎnmào	(动、名)	to catch a cold; cold
14. 酒	jiǔ	(名)	wine
15. 喝	hē	(动)	to drink
16. 这么	zhème	(代)	so, such
17. 啊	a	(助)	*a particle*
18. 完	wán	(动)	to finish, to end
19. 赢	yíng	(动)	to win
20. 比	bǐ	(动)	to compare
21. 怪不得	guài bu de		no wonder, that explains why, so that's why

22. 小孩儿	xiǎoháir	（名）	little child
23. 懂	dǒng	（动）	to understand
24. 比如	bǐrú	（动）	for example
25. 海	hǎi	（名）	sea
26. 蓝	lán	（形）	blue
27. 做梦	zuò mèng		to dream
28. 大人	dàren	（名）	adult

四、注释　Notes

1. 怪不得呢　No wonder

表示明白了或者知道了以前不知道的情况,可以用"怪不得呢"。

"怪不得呢" can be used when you come to understand or realize something that you did not know before.

例如:A:你怎么这么累?

B:我昨天只睡了三个小时。

A:怪不得呢。(意思是:我现在知道你为什么这么累了。)

(meaning I now understand why you are so tired)

2. 那还用说　Of course, naturally

意思是"当然"或者" 不用说明"。

"那还用说" means "Of course" or "There is no doubt about it".

例如:A:你会说汉语,会写汉字吗?

B:那还用说。

3. 为什么睡觉的时候会做梦?　Why do we dream when we are sleeping?

"会"表示推断或可能性。

187

"会" is used to indicate a conjecture or possibility.

例如:(1) 已经八点了,他还会来吗?

　　　(2) 今年我不会回国。

　　　(3) 他会知道的。

五、语言点　Language points

1. 结果补语　Complement of result

汉语里把跟在某些动词后面,说明动作结果的词语叫做结果补语。常放在动词后充当结果补语的词语有"完、到、在、好、懂、上……"等。

In Chinese words that come after verbs indicating the result of an action are called complements of result. Words that often serve as postverbal complements of result include 完, 到, 在, 好, 懂, 上, etc.

> ……V + 完/在/到/懂……

例如:(1) 我考完试了。

　　　(2) 我儿子考上大学了。

　　　(3) 你听懂了没有?

　　　(4) 今天我们学到第二十五课了。

　　　(5) 休息好了吗?

结果补语的否定式是　The negative form of the complement of result is:

> ……没 V + 完/在/到/懂……

例如:(1) 我没听懂。

　　　(2) 我还没看完呢。

　　　(3) 那个汉字他没写对。

不说　We do not say:

　　　＊我不听懂。

　　　＊他不看完这本书。

2.是不是……

汉语可以用"是不是"提问。"是不是"可以放在主语前或主语后,也可以放在句尾,表示确认。

In Chinese "是不是" can be used to ask questions. "是不是" can be put either before or after the subject. It can also be put at the end of a sentence, indicating that a clarification is expected.

常用句式 1：Sentence pattern one:

是不是 + 小句？ 是不是 + Clause?

例如：(1) 是不是你打算回国了?

(2) 是不是他病了?

常用句式 2：Sentence pattern two:

主语 + 是不是 + 动词短语？ Subject + 是不是 + Verb phrase?

例如：(1) 他是不是有点儿不高兴?

(2) 你是不是太累了?

(3) 你是不是要回国?

常用句式 3：Sentence pattern three:

小句 + 是不是？ Clause + 是不是?

例如：(1) 你要回国,是不是?

(2) 你是日本人,是不是?

(2) 你不喜欢运动,是不是?

六、语言点练习　Exercises concerning the language points

一、用"V + 结果补语"填空

Fill in the blanks with the "V + Complement of result" pattern.

1.我 ＿＿＿＿＿＿ 作业了。(写)

2.他的话,你 ＿＿＿＿＿＿ 了吗? (听)

3.这本书你们什么时候 ＿＿＿＿＿＿ ? (学)

189

4. 这个问题, 你 _____ 了吗? (回答)

5. 你们 _____ (休息) 了吗? 该上课了。

6. 这酒很厉害(lìhai, strong), 别 _____ 了。(喝)

二、用"是不是"改写句子 Transform the following sentences with "是不是".

1. 他是学经济管理的吗?

2. 你弟弟大学毕业了吧?

3. 你发烧了吧?

4. 他喝多了吧?

5. 他们这么不高兴, 可能踢输(shū, to lose)了吧?

七、综合练习 Comprehensive exercises

一、看图说话, 练习典型句

Make up dialogues according to the pictures and practise the typical sentence patterns.

1. A: 明天我不能 _____ 。

　　——我想请假。

　B: 为什么?

　　——你怎么了?

　A: _____ 。

190

2. A: 你怎么了？是不是_____?

　　——怎么这么累？

B: 昨天我_____，有点儿头疼。

　　——我头疼，_____。

　　——我有点儿感冒，_____。

3. A: 今天的_____我不能参加了。

B: 怎么回事?

A: _____。

二、替换练习　Substitution exercises

1. A:踢完了？怎么这么高兴？是不是赢了？

　　B:那还用说，3比0。

　　A:怪不得呢。

　　B:你为什么没去看比赛？

　　A:我有点儿事。

替换词语　Substitute words and phrases

打	2比1	我得复习
赛	3比0	我得做作业

2. A:你怎么了？是不是病了？

　　B:我有点儿头疼。

　　A:感冒了吧？

　　B:不是，昨晚酒喝多了。

　　A:是这么回事啊，以后少喝点儿吧。

替换词语　Substitute words and phrases

不舒服(bù shūfú, sick, unwell)	眼睛(yǎnjing, eye)
发烧	牙(yá, tooth)
生病(shēng bìng, to become sick)	肚子(dùzi, belly, abdomen)
	胃(wèi, stomach)
	嗓子(sǎngzi, throat)
	腿(tuǐ, leg)

3. A:明天的比赛我不能参加了。

　　B:怎么回事？

　　A:我从早上开始发烧，现在还没好呢。

B:是吗？去医院了吗？

A:没去，我自己在家吃了点儿药。

替换词语　Substitute words and phrases

晚会(wǎnhuì, evening party)	咳嗽(késou, to cough)
圣诞晚会(Shèngdàn wǎnhuì, Christmas party)	拉肚子(lā dùzi, to suffer from diarrhoea)
演出(yǎnchū, performance)	牙疼(yá téng, toothache)
活动(huódòng, activity)	胃疼(wèi téng, stomachache)
聚会(jùhuì, gather together)	嗓子疼(sǎngzi téng, sore throat)
聚餐(jùcān, dinner party)	

三、回答问题　**Answer the following questions.**

1. 他为什么没来上课？

2. 小月怎么这么累？

3. 你为什么来中国？

4. 他怎么不骑车？

5. 你昨天是不是没休息好？

补充句子　Supplementary sentences

1. 怎么　会　这样？
   Zěnme huì zhèyàng?
   How did it happen?

2. 出　什么　事　了？
   Chū shénme shì le?
   What happened?

3. 到底　怎么　回事？

Dàodǐ zěnme huí shì?

What on earth happened?

4. 发生了　什么　事？

Fāshēngle shénme shì?

What happened?

5. 怪　不　得　你那么　高兴。

Guài bu de nǐ nàme gāoxìng.

No wonder you are so happy.

6. 原来　是　这样。

Yuánlái shì zhèyàng.

Now I understand.

7. 我　说　他怎么　没　来　呢。

Wǒ shuō tā zěnme méi lái ne.

So that's why he did not come then.

祝贺你
Congratulations to you!

一、典型句　**Typical sentence patterns**

1. 生日　快乐!
Shēngri kuàilè!

2. 祝 ……!
Zhù ……!

你 永远　年轻	nǐ yǒngyuǎn niánqīng
你们 白头　偕老	nǐmen báitóu xiélǎo

3. 祝贺　你!
Zhùhè nǐ!

4. 恭喜,　恭喜!
Gōngxǐ, gōngxǐ!

5. 为 …… 干　一　杯。
Wèi …… gān yì bēi.

你们 的 幸福	nǐmen de xìngfú
我们 的 健康	wǒmen de jiànkāng

二、课文　Text

1.（在小刘的生日晚会上）　**At Xiao Liu's birthday party**

朋友　　　：生日　快乐！
péngyou　：Shēngri kuàilè!

小　刘　：谢谢　你们。这　花儿真　漂亮！
Xiǎo Liú　：Xièxie nǐmen. Zhè huār　zhēn piàoliang!

朋友　　　：祝　你永远　　年轻、　漂亮。
péngyou　：Zhù nǐ　yǒngyuǎn niánqīng、piàoliang.

小　刘　：跟　这　花儿一样？
Xiǎo Liú　：Gēn zhè huār　yíyàng?

2.听说你……

英爱　　：听说　　你参加了
Yīng'ài　：Tīngshuō nǐ cānjiāle

　　　　　这　次汉语　水平
　　　　　zhè cì　Hànyǔ shuǐpíng

　　　　　考试，　　　成绩
　　　　　kǎoshì,　　　chéngjì

　　　　　怎么样？
　　　　　zěnmeyàng?

朋友　　：我　考了　七　级。
péngyou：Wǒ kǎole qī jí.

英爱　　：真　不错。祝贺　你！
Yīng'ài　：Zhēn búcuò. Zhùhè nǐ!

朋友　　：谢谢。　*我　还想　考　八　级　呢。
péngyou：Xièxie.　Wǒ hái xiǎng kǎo bā jí　ne.

196

3.（甲、乙来参加朋友的婚礼） **A and B come to attend their friend's wedding ceremony.**

朋友　甲：新郎，　新娘，　恭喜　恭喜！
péngyou jiǎ：Xīnláng, xīnniáng, gōngxǐ gōngxǐ!

新郎　　　：请　进。你们　能　来，真　是太好了。
xīnláng　　：Qǐng jìn. Nǐmen néng lái, zhēn shì tài hǎo le.

朋友　乙：祝　你们　白头　偕老！来，为　你们　的幸福干一
péngyou yǐ：Zhù nǐmen báitóu xiélǎo! Lái, wèi nǐmen de xìngfú gān yì

杯。
bēi.

新郎　　　：干　杯。
xīnláng　　：Gān bēi.

朋友　甲：好，再来一杯。
péngyou jiǎ：Hǎo, zài lái yì bēi.

新郎　　　：不行，喝不了　了，再喝就醉了。
xīnláng　　：Bù xíng, hē bu liǎo le, zài hē jiù zuì le.

4.（在医院） **In a hospital**

朋友　：好　点儿了吗？我给你带了点儿水果。
péngyou：Hǎo diǎnr le ma? Wǒ gěi nǐ dàile diǎnr shuǐguǒ.

病人　：好多了。谢谢　你来看我。
bìngrén：Hǎo duō le. Xièxie nǐ lái kàn wǒ.

朋友　：这星期出得了院吗？
péngyou：Zhè xīngqī chū de liǎo yuàn ma?

病人　：大夫说出不了。
bìngrén：Dàifu shuō chū bu liǎo.

朋友　：好好儿休息，祝你早点儿出院。
péngyou：Hǎohāor xiūxi, zhù nǐ zǎo diǎnr chū yuàn.

197

5.读一读 Read the following paragraph.

在 中国，　　小孩儿 一岁、老 人 六十 岁 的 生日　特别
Zài Zhōngguó, xiǎoháir yí suì、lǎo rén liùshí suì de shēngri tèbié

重要，　　得 好好儿 庆祝。　给 孩子 过 生 日　时，我们　祝
zhòngyào, děi hǎohāor qìngzhù. Gěi háizi guò shēngri shí, wǒmen zhù

他(她)"长命　　百岁"，对 老 人，我们　经常　　说 的 话
tā(tā) "chángmìng bǎisuì", duì lǎo rén, wǒmen jīngcháng shuō de huà

是 "祝 您 健康　长寿"。
shì "Zhù nín jiànkāng chángshòu".

三、生词　New words

1. 快乐	kuàilè	（形）	happy
2. 花儿	huār	（名）	flower
3. 祝	zhù	（动）	to wish
4. 永远	yǒngyuǎn	（副）	forever
5. 次	cì	（量）	*a measure word*
6. 水平	shuǐpíng	（名）	level
7. 级	jí	（名）	grade
8. 祝贺	zhùhè	（动）	to congratulate
9. 新郎	xīnláng	（名）	bridegroom
10. 新娘	xīnniáng	（名）	bride
11. 恭喜	gōngxǐ	（动）	to congratulate
12. 进	jìn	（动）	to enter, to come in
13. 白头偕老	báitóu xiélǎo		to remain a devoted couple

198

			to the end of their lives
14. 为	wèi	（介）	for, to
15. 幸福	xìngfú	（形）	happy, happiness
16. 干杯	gān bēi		to drink a toast
（为……干杯）	（wèi……gān bēi）		（to drink a toast to...）
17. 了	liǎo	（动）	to finish
18. 醉	zuì	（动）	to get drunk,
			to get intoxicated
19. 水果	shuǐguǒ	（名）	fruit
20. 出院	chū yuàn		to leave the hospital
21. 老	lǎo	（形）	old
22. 重要	zhòngyào	（形）	important
23. 庆祝	qìngzhù	（动）	to celebrate
24. 过	guò	（动）	to celebrate, to spend
25. 长命百岁	chángmìng bǎisuì		to have a long life
26. 话	huà	（名）	words, speech
27. 健康	jiànkāng	（形）	health
28. 长寿	chángshòu	（形）	long life

四、注释　Notes

"还……呢"可以用来表示强调。所强调的部分一般放在"还"和"呢"之间。

"还……呢" can be used to emphasize, with the emphasized part placed between "还" and "呢".

常用句式：Sentence Pattern:

......还 + V + ...呢

例如：(1) 我还想考九级呢。

(2) 他还会唱歌呢。

(3) 他还不到二十呢。

五、语言点 Language points

V 得了 / V 不了

表示可能做某事或者某事可能实现时，可以 用"V 得了"式；否定时用"V 不了"式。"V 得了"式常在问问题或回答别人的问题时使用。

When you want to say that it is possible for you to do something, you can use "V 得了", the negative form of which is "V 不了".

常用句式 1：Sentence pattern one：

......V 得了吗？

例如：(1) 今天的比赛你参加得了吗？

(2) 这星期你出得了院吗？

常用句式 2：Sentence pattern two：

......V 得了 V 不了？

例如：今天你去得了去不了？

常用句式 3：Sentence pattern three：

......V 不了......

例如：(1) 我今天有事，去不了。

(2) 他现在还出不了院。

六、语言点练习 Exercises concerning the language points

一、用"V + 得了"或"V + 不了"完成下面的句子

Complete the following sentences with "V 得了" or "V 不了".

1. 今天我感冒了，_____。(上课)

2. 他头疼，_____ 了。(来)

3. 明天有课，_____ 。(去公园 gōngyuán, park)

4. 明天的比赛你 _____ 吗?(参加)

5. 我喝一点儿可乐(kělè, cola)吧,啤酒(píjiǔ, beer)_____ 。(喝)

6. 他汉语说得不太好,_____ 。(当翻译)

7. 我今天没带钱,_____ 这双鞋。(买)

二、改正下面的病句 Correct the following sentences.

1. 这是真漂亮的花。

2. 祝贺你生日快乐!

3. 祝你漂亮跟花一样。

4. 大夫说他明天不能出得了院。

5. 我们常说对老人"您多大年纪了?"

七、综合练习 Comprehensive exercises

一、看图说话,练习典型句

Make up dialogues according to the pictures and practise the typical sentence patterns.

1. A: _____!

　　——祝你永远年轻、漂亮!

　　——祝你每天都快乐!

B: 谢谢你们!

2. A:祝贺_____!

    ——恭喜你们!

   B:干杯!

3. A:祝你_____!

   B:谢谢你_____!

二、替换练习　Substitution exercises

1. A:生日快乐!

   B:谢谢你。这花真漂亮!

   A:祝你永远年轻、漂亮。

   B:跟这花儿一样?

替换词语　Substitute words and phrases

节日 (jiérì, holiday)
新年 (xīnnián, New Year)
圣诞节 (Shèngdàn Jié, Christmas)
春节 (Chūn Jié, the Spring Festival)

2. A:好点儿了吗? 我给你带了点儿水果。

B:好多了。谢谢你来看我。

A:这星期出得了院吗?

B:大夫说出不了。

A:好好休息,祝你早点儿出院!

替换词语　Substitute words and phrases

杂志 (zázhì, magazine)	今天
报纸 (bàozhǐ, newspaper)	这两天
吃的	这几天
喝的	
磁带 (cídài, cassette)	
光盘 (guāngpán, disc)	
唱片 (chàngpiàn, record)	

三、怎么说　What will you say?

1. 朋友过生日,你怎么说?

2. 爸爸过生日,你怎么说?

3. 朋友的孩子过生日,你怎么说?

4. 奶奶过生日,你怎么说?

5. 同学考试考得很好,你怎么说?

6. 朋友结婚 (jiéhūn, to get married),你怎么说?

7. 新年 (xīnnián, New Year)到了,你怎么对朋友说?

8. 去医院看病人,你怎么说?

补充句子　Supplementary sentences

1. 祝贺　你 取得 了 这么　好　的 成绩!
   Zhùhè nǐ qǔdé le zhème hǎo de chéngjì!
   Congratulations on the great progress you have made!

2. 节日 快乐!
   Jiérì kuàilè!
   Happy holiday!

3. 祝　你们 周末　愉快!
   Zhù nǐmen zhōumò yúkuài!
   Have a nice weekend!

4. 祝　你 早日 恢复 健康!
   Zhù nǐ zǎorì huīfù jiànkāng!
   I wish you a speedy recovery!

5. 祝　你 的 病　早　点儿 好!
   Zhù nǐ de bìng zǎo diǎnr hǎo!
   I wish you would be well soon!

6. 祝　你们 永远　恩爱!
   Zhù nǐmen yǒngyuǎn ēn'ài!
   I wish you would love each other forever!

7. 过年　好!
   Guònián hǎo!
   Happy New Year! A Happy Spring Festival to you!

8. 我们　给 您 拜年　了!
   Wǒmen gěi nín bàinián le!
   We wish you a happy New Year!

9. 恭喜　发财!
   Gōngxǐ fācái!
   I wish you a big fortune!

第 18 课　Lesson Eighteen

我还从来没骑过马呢

I have never had the experience
of riding a horse yet.

一、典型句　**Typical sentence patterns**

1. …… 过 …… 没有？
   …… guo …… méiyou?

吃 / 涮　羊肉 Chī / shuàn yángròu
爬 / 黄　山 Pá / Huáng Shān

2. …… 过 …… 次 ……。
   …… guo …… cì …….

吃 / 两 / 涮　羊肉 Chī / liǎng / shuàn yángròu
去 / 三 / 长城 Qù / sān / Chángchéng

3. …… 过 …… 年 ……。
   …… guo …… nián …….

当 / 两 / 兵 Dāng / liǎng / bīng
学 / 半 / 英语 Xué / bàn / Yīngyǔ

4. …… 是 …… 的。
　　…… shì …… de.

我 / 去年　秋天　去
Wǒ / qùnián qiūtiān qù

他 / 自己去
Tā / zìjǐ　qù

5. 还没 …… 过 …… 呢。
　　Hái méi …… guo …… ne.

吃 / 涮　羊肉
chī / shuàn yángròu

骑 / 自行车
qí / zìxíngchē

6. 从来　没 …… 过 ……。
　　Cónglái méi …… guo …….

骑 / 马
qí　mǎ

吃 / 烤　肉
chī / kǎo ròu

7. 曾　…… 过 ……。
　　Céng …… guo …….

当　/ 律师
dāng / lǜshī

去 / 日本
qù / Rìběn

二、课文　Text

1. 你吃过涮羊肉没有?

林路 ： 你 吃过 涮 羊肉 没有?
Lín Lù ： Nǐ chīguo shuàn yángròu méiyou?

朋友 ： 吃过 两 次， 好吃 极 了。
péngyou ： Chīguo liáng cì, hǎochī jí le.

林路 ： 我 还 没 吃过 呢。
Lín Lù ： Wǒ hái méi chīguo ne.

朋友 ： "东来 顺 "的 涮 羊肉 最 有名 ， 哪天 去
péngyou ： "Dōngláishùn" de shuàn yángròu zuì yǒumíng, nǎ tiān qù

尝尝 吧。
chángchang ba.

2. 你去过哪些地方?

中国 朋友 ： 来 中国 以后， 你 去过 哪些 地方 ?
Zhōngguó péngyou ： Lái zhōngguó yǐhòu, nǐ qùguo nǎxiē dìfang?

英爱 ： ＊ 除了 长城、 故宫 以外， 我 还
Yīng'ài ： Chúle Chángchéng、 Gùgōng yǐwài, wǒ hái

去过 西安， 爬过 黄 山。
qùguo Xī'ān, páguo Huáng Shān.

中国 朋友 ： 你 是 什么 时候 去 黄 山 的?
Zhōngguó péngyou ： Nǐ shì shénme shíhou qù Huáng Shān de?

英爱 ： 去年 秋天 。
Yīng'ài ： Qùnián qiūtiān.

中国 朋友 ： 你 是 自己 去 的 吗?
Zhōngguó péngyou ： Nǐ shì zìjǐ qù de ma?

英爱 ： 不是。我 跟 朋友 一起 去 的。
Yīng'ài ： Bú shì. Wǒ gēn péngyou yìqǐ qù de.

3.（林路从内蒙古旅行回来） **Lin Lu is back from his travel to Inner Magolia.**

同屋　　：这　次　旅行　玩儿　得
tóngwū：Zhè cì lǚxíng wánr de

　　　　　怎么样　　？
　　　　　zěnmeyàng?

林　路　：好　极　了。* 我们
Lín Lù：Hǎo jí le. 　　Wǒmen

　　　　　又　爬　山　又　骑
　　　　　yòu pá shān yòu qí

　　　　　马，　又　吃　烤肉
　　　　　mǎ, yòu chī kǎoròu

　　　　　又　喝　酒。
　　　　　yòu hē jiǔ.

同屋　　：是 吗？我 还 从来　没 骑过 马 呢。
tóngwū：Shì ma? Wǒ hái cónglái méi qíguo mǎ ne.

林　路　：我 也 是 第一次 骑马。
Lín Lù：Wǒ yě shì dì-yī cì qí mǎ.

4.（小孙看到一张韩国朋友小朴穿军装的照片）

Xiao Sun sees a picture of Xiao Piao, a Korean friend of his, in army uniform.

小　　孙　：你 以前 当 过 兵 ？
Xiǎo Sūn：Nǐ yǐqián dāngguo bīng?

小　　朴　：对。我 上　大学 时 当 过 三 年 兵。
Xiǎo Piáo：Duì. Wǒ shàng dàxué shí dāng guo sān nián bīng.

小　　孙　：大学 毕业 以后 你 一直 在 公司　工作　吗？
Xiǎo Sūn：Dàxué bìyè yǐhòu nǐ yìzhí zài gōngsī gōngzuò ma?

小　　朴　：不 是。我 去 美国　学了 一 年 英语，回 国 以后
Xiǎo Piáo：Bú shì. Wǒ qù Měiguó xuéle yì nián Yīngyǔ, huí guó yǐhòu

　　　　　当过　翻译。
　　　　　dāngguo fānyì.

小　孙　：你的经历还挺　丰富　的。
Xiǎo Sūn：Nǐ de jīnglì hái tǐng fēngfù de.

5.简历(Jiǎnlì)　A Resume

　　李大海，男，二十八岁。南京　大学　法学院　硕士　毕
　　Lǐ Dàhǎi, nán, èr shíbā suì. Nánjīng Dàxué Fǎxuéyuàn shuòshì bì

业。毕业后曾　当过　三　年　律师。现在　在一家公司
yè. Bì yè hòu céng dāngguo sān nián lǜshī. Xiànzài zài yì jiā gōngsī

的 法律 部门　工作。
de fǎlǜ　bùmén gōngzuò.

三、生词　New words

1. 过	guo	（助）	*a particle*
2. 好吃	hǎochī	（形）	delicious
3. 极	jí	（副）	extremely
（……极了）	（……jí le）		（extremely...）
4. 有名	yǒumíng	（形）	famous
5. 尝	cháng	（动）	to taste
6. 些	xiē	（量）	some
7. 地方	dìfang	（名）	place
8. 除了……以外	chúle……yǐwài		except, besides
9. 爬	pá	（动）	to climb, to crawl
10. 去年	qùnián	（名）	last year
11. 秋天	qiūtiān	（名）	autumn, fall
12. 自己	zìjǐ	（代）	self
13. 又	yòu	（副）	and

(又……又)	(yòu……yòu)		(both…and…)
14. 山	shān	(名)	mountain, hill
15. 马	mǎ	(名)	horse
16. 烤	kǎo	(动)	to roast
17. 肉	ròu	(名)	meat
18. 从来	cónglái	(副)	ever
19. 以前	yǐqián	(名)	before
20. 兵	bīng	(名)	soldier
21. 经历	jīnglì	(名、动)	experience
22. 丰富	fēngfù	(形、动)	rich; to enrich
23. 简历	jiǎnlì	(名)	resume
24. 男	nán	(形)	male
25. 硕士	shuòshì	(名)	master (M.A./M.S)
26. 曾	céng	(副)	ever
27. 部门	bùmén	(名)	department

专名 Proper nouns

1. 涮羊肉	shuàn yángròu	instant-boiled mutton
2. 东来顺	Dōngláishùn	name of a restaurant
3. 长城	Chángchéng	The Great Wall
4. 故宫	Gùgōng	The Forbidden City
5. 西安	Xī'ān	name of a city
6. 黄山	Huáng Shān	The Yellow Mountain

| 7. 美国 | Měiguó | the United States |
| 8. 南京大学 | Nánjīng Dàxué | Nanjing University |

四、注释 Notes

1.除了长城、故宫以外，我还去过西安，……

Besides the Great Wall and the Palace Museum, I have also visited Xi′an…

汉语里的"除了 A 以外，……"有两个意思：

一是相当于英语里的 except；一是相当于英语里的 besides。

In Chinese "除了 A 以外" can mean either "except" or "besides" in English.

常用句式 1：Sentence pattern one：

除了……以外，都……

例如：(1)除了苦(kǔ) 的以外，我都能吃。

(2)除了小王以外，今天都来了。(只有小王没来)

常用句式 2：Sentence pattern two：

除了……以外，……还/也……

例如：(1)除了小王以外，李明今天也没来。

(2)他除了喜欢打网球以外，还喜欢游泳和踢足球。

2.又爬山又骑马 both climbed mountains and rode horses

表示两方面的情况都具备。You use "又……又" when you are giving two facts and empha-sizing that both of them are true.

常用句式 1：Sentence pattern one：

NP＋又……又……

例如：(1) 这儿的东西又便宜又好。

(2) 他又累又饿(è, hungry)。

(3) 我们又唱歌(chàng gē, sing)又跳舞(tiào wǔ, dance)，玩得很高兴。

常用句式 2：Sentence pattern two：

NP₁＋又……＋NP₂ 又……

例如：那儿商店又多，东西又便宜。

211

五、语言点　Language points

1. V + 过

汉语中表示过去的经历可以用"V + 过"。

In Chinese past experiences can be expressed in the form of a verb followed by "过".

常用句式 1：Sentence pattern one：

… + V + 过 + …

例如：(1) 我去过上海。

(2) 来中国以后, 你去过哪些地方?

(3) 你吃过中国菜吗?

常用句式 2：Sentence pattern two：

…没(有) + V + 过 + …

… + 还没 + V + 过 + …呢

例如：(1) 我没去过故宫。

(2) 我还没骑过马呢。

常用句式 3：Sentence pattern three：

… + V + 没 + V + 过…?

例如：(1) 你去没去过黄山?

(2) 以前你来没来过中国?

不说：We do you say：

　　* 他没来过中国了。

　　* 他没来中国过。

2. 动量补语　complement of frequency

动量补语用在动词后表示动作的量。常用的动量补语有"次、回、趟(tàng), 遍"等。

Complements of frequency are used after verbs to indicate the times an action is performed. Complements of frequency often used are "次, 回, 趟, 遍", etc.

常用句式：Sentence pattern：

| ……动词 + 数词 + 次/遍 + …… | …V + Numeral + 次/遍 + …
| --- |

例如：(1) 我去过两次长城。

(2) 我去过长城两次。

(3) 我们一起爬过一次黄山。

(4) 请再说一遍。

六、语言点练习 Exercises concerning the language points

一、用"过"或者"了"填空 Fill in the blanks with "过" or "了".

1. 你去_____长城吗？

2. 昨天我看_____一本好书。

3. 你以前来_____中国没有？

4. 我不知道他去哪儿_____。

5. 他从来没学_____汉语。

6. 我看_____这个电影（diànyǐng, film），可是现在忘（wàng, to forget）_____。

7. 在中国的时候，我当_____老师，也做_____翻译。

8. 上周末我去_____上海，还去_____杭州。

二、用"除了……以外"改写句子 Transform the following sentences with "除了……以外".

1. 别人都走了，只有(zhǐyǒu, only)明月还在教室。

2. 他会说汉语，还会说英语。

3. 这次考试，我只有一个问题没答对。

4. 那天小明去了，林路也去了。

5. 他的经历很丰富，当过兵，去过美国，还做过翻译。

七、综合练习 Comprehensive exercises

一、看图说话，练习典型句

Make up dialogues according to the pictures and practise the typical sentence patterns.

1. A: 你吃过_____没有？

   B: 吃过一次。

   ——没吃过。

   A: 哪儿的_____最有名？

   B: _____，哪天我带你去尝尝。

2.A:来中国以后,你去过哪些地方?

B:＿＿＿＿,除了＿＿＿＿以外,我还

去过＿＿＿＿。

——＿＿＿＿,我没去过别的地

方。

3.A:你去过＿＿＿＿吗?

B:去过两次。

A:都玩儿什么了?

B:我们＿＿＿＿了＿＿＿＿,还＿＿＿＿

了＿＿＿＿。

——我们又看日出(rìchū,

sunrise)又游泳,又去长

城又＿＿＿＿。

二、替换练习 Substitution exercises

1.A:你吃过涮羊肉没有?

B:吃过两次,好吃极了。

A:我还没吃过呢。

B:"东来顺"的涮羊肉最有名,哪天去尝尝吧。

214

烤鸭(kǎoyā, roast duck)

红烧肉(hóngshāo ròu, pork braised in brown sauce)

清蒸鱼(qīngzhēng yú, steamed fish)

糖醋鱼(tángcù yú, fish cooked in sweet and sour sauce)

四川火锅(Sìchuān huǒguō, Sichuan chafing dish)

2.A:来中国以后,你去过哪些地方?

B:除了长城、故宫以外,我还去过西安,爬过黄山。

A:你是什么时候去黄山的?

B:去年秋天。

A:你是自己去的吗?

B:不是。我跟朋友一起去的。

替换词语　Substitute words and phrases

北海公园 (Běihǎi Gōngyuán, Beihai Park) 颐和园 (Yíhéyuán, the Summer Palace) 天坛(Tiāntán, Tiantan Park) 香山(Xiāng Shān, the Fragrant Hill) 圆明园(Yuánmíngyuán) 上海(Shànghǎi) 南京(Nánjīng) 内蒙古(Nèiměnggǔ, Inner Mongolia) 新疆(Xīnjiāng)	春天(chūntiān, spring) 夏天(xiàtiān, summer) 冬天(dōngtiān, winter) 前年(qiánnián, the year before last) 三月 上周

三、说话,选用下面的句式　Use the following patterns and talk.

1. 介绍你的一次旅行经历。

   Talk about one of your past travels.

   ……我们去了……,我们 V 了……,还 V 了……

2. 介绍你的学习或工作经历。

   Talk about your education or work experience.

   我……毕业以后,V 过……,也 V 过……

补充句子 Supplementary sentences

1. 我 在 全聚德 吃过 烤鸭 。

   Wǒ zài Quánjùdé chīguo kǎoyā.

   I once ate roast duck at Quanjude.

2. 我 在 北大 上 的 大学 。

   Wǒ zài Běi-Dà shàng de dàxué.

   I attended Beijing University.

3. 我 在 中国 学 的 汉语 。

   Wǒ zài Zhōngguó xué de Hànyǔ.

   I learned Chinese in China.

4. 他 从来 没 学过 汉字 。

   Tā cónglái méi xuéguo Hànzì.

   He has never learned the Chinese characters.

5. 我 的 经历 很 一般 。

   Wǒ de jīnglì hěn yìbān.

   My experiences are rather ordinary.

6. 他 年龄 不大 , 可是 经历 很 丰富 。

   Tā niánlíng bú dà, kěshì jīnglì hěn fēngfù.

   He is quite young, but with very rich experiences.

7. 他 还 当过 经理 呢 。

   Tā hái dāngguo jīnglǐ ne.

   He once worked as a manager.

8. 他 经历过 很 多 事。

Tā jīnglìguo hěn duō shì.

He has various kinds of experiences.

9. 这 真 是 次 难忘 的 经历。

Zhè zhēn shì cì nánwàng de jīnglì.

It was really an unforgettable experience.

第 19 课　Lesson Nineteen

你找什么
What are you looking for?

一、典型句　Typical sentence patterns

1. …… 找　不到　了，您看见　了吗？
   …… zhǎo bu dào le，nín kànjian le ma？

   我 的 眼镜
   Wǒ de yǎnjìng

   我 的 书包
   Wǒ de shūbāo

2. …… 呢？
   …… ne？

   我 的 自行车
   Wǒ de zìxíngchē

   我 的 鞋
   Wǒ de xié

3. …… 在 吗？
   …… zài ma？

   孙 明
   Sūn Míng

   赵 老师
   Zhào lǎoshī

218

4. …… 是 住 这儿 吗？
…… shì zhù zhèr ma?

马丁
Mǎdīng

林 路
Lín Lù

5. 怎么 能 找到 ……？
Zěnme néng zhǎodào ……？

他
tā

小 刘
Xiǎo Liú

6. 不 是 在 …… 吗？
Bú shì zài …… ma？

床 上
Chuáng shang

桌子 上
Zhuōzi shang

7. 原来 在 这儿 啊。
Yuánlái zài zhèr a.

8. 找着 了。
Zhǎozháo le.

9. …… 真 难 找 啊。
…… zhēn nán zhǎo a.

你
Nǐ

这个 楼
Zhège lóu

二、课文 Text

1. 你找什么？

妈妈	：你找 什么？
māma	：Nǐ zhǎo shénme?

小 刘	：我 的 眼镜 找
Xiǎo Liú	：Wǒ de yǎnjìng zhǎo

不 到 了，您
bu dào le， nín

看见 了吗？
kànjian le ma?

妈妈	：不 是 在 你 床
māma	：Bú shì zài nǐ chuáng

上 吗？
shang ma?

小 刘	：原来 在 这儿 啊！
Xiǎo Liú	：Yuánlái zài zhèr a ！

2.（在楼门口） At the gate to the building

小 王	：我 的 自行车 呢？
Xiǎo Wáng	：Wǒ de zìxíngchē ne?

明月	：我 记得 你 放 在 这边 了。
Míngyuè	：Wǒ jide nǐ fàng zài zhèbian le.

小 王	：怎么 没有 啊？是 不 是 记错 了？
Xiǎo Wáng	：Zěme méiyǒu a ？ Shì bu shì jìcuò le？

明月	：在 这儿 呢，找着 了。
Míngyuè	：Zài zhèr ne, zhǎozháo le.

220

3.（小张给孙明打电话） **Xiao Zhang is calling Sun Ming.**

小　张　：喂，孙　明　在　吗？
Xiǎo Zhāng：Wèi　Sūn Míng zài ma?

孙　明　：我　就　是。
Sūn Míng　：Wǒ jiù shì.

小　张　：我　是　张　文。你　真　难　找　啊，* 给　你　打
Xiǎo Zhāng：Wǒ shì Zhāng Wén. Nǐ zhēn nán zhǎo a,　gěi nǐ dǎ

　　　　　了　好　几　次　电话，你　都　不　在。
　　　　　le hǎo jǐ cì diànhuà, nǐ dōu bú zài.

孙　明　：是　吗？找　我　有　什么　事？
Sūn Míng　：Shì ma? Zhǎo wǒ yǒu shénme shì?

小　张　：我　借给　你　的　那　本　小说　看　完　了　没有？我
Xiǎo Zhāng：Wǒ jiègěi nǐ de nà běn xiǎoshuō kànwán le méiyǒu? Wǒ

　　　　　该　还　图书馆　了。
　　　　　gāi huán túshūguǎn le.

4.（乔治来到大卫的房间） **George comes to David's room**

乔治　：您　好，马丁　是　住　这儿　吗？
Qiáozhì：Nín hǎo, Mǎdīng shì zhù zhèr ma?

大卫　：他　已经　搬走　了。
Dàwèi　：Tā yǐjīng bānzǒu le.

乔治　：搬　到　哪儿　了？
Qiáozhì：Bān dào nǎr le?

大卫　：我　也　不　知道。
Dàwèi　：Wǒ yě bù zhīdao.

乔治　：我　有　急事，怎么　能　找到　他？
Qiáozhì：Wǒ yǒu jí shì, zěnme néng zhǎodào tā?

大卫　：您　可以　去　留学生　办公室　问问。
Dàwèi　：Nín kěyǐ qù liúxuéshēng bàngōngshì wènwen.

5. 寻物 Lost and found

本人 10 日 下午 在 留学生 食堂 丢失 一个 蓝色
Běnrén shí rì xiàwǔ zài liúxuéshēng shítáng diūshī yí ge lánsè

书包 ，书包 里有 一本 词典 、两 本 英语 书，还有 一
shūbāo, shūbāo li yǒu yì běn cídiǎn、liǎng běn yīngyǔ shū, hái yǒu yí

个 呼机。有 捡到者 请 跟 14 楼 201 房间 联系。
ge hūjī . Yǒu jiǎndàozhě qǐng gēn shísì lóu èr líng yāo fángjiān liánxì.

电话 号码 是 8 2 3 1 2 4 7 8 。非常 感谢 。
Diànhuà hàomǎ shì bā èr sān yāo èr sì qī bā. Fēicháng gǎnxiè.

4 月 11 日
sì yuè shíyī rì

三、生词 New words

1. 眼镜	yǎnjìng	（名）	glasses
2. 看见	kànjian	（动）	to see
3. 床	chuáng	（名）	bed
4. 原来	yuánlái	（副）	so, turn out to be; original
5. 记得	jìde	（动）	to remember
6. 边	biān	（名）	side
7. 记	jì	（动）	to memorize
8. 错	cuò	（形、名）	wrong; mistake
9. 着	zháo	（动）	*to be used to indicate the result of an action*
10. 喂	wèi	（叹）	*an interjection*
11. 借	jiè	（动）	to lend, to borrow

222

12. 小说	xiǎoshuō	（名）		novel
13. 还	huán	（动）		to return, to give back to
14. 图书馆	túshūguǎn	（名）		library
15. 搬	bān	（动）		to move
16. 急	jí	（形）		urgent, emergency
17. 办公室	bànggōngshì	（名）		office
18. 寻	xún	（动）		to look for, to seek
19. 物	wù	（名）		thing
20. 本	běn	（代）		one's own, native, this
21. 丢失	diūshī	（动）		to lose
22. 色	sè	（名）		colour
23. 书包	shūbāo	（名）		school bag
24. 呼机	hūjī	（名）		beeper
25. 捡	jiǎn	（动）		to pick up, to find
26. 者	zhě	（尾、名）		*a suffix*, someone
27. 联系	liánxì	（动、名）		to contact; contact

（跟/和……联系）　　（gēn/hé……liánxì）

(to get in touch with...)

28. 感谢	gǎnxiè	（动）		to thank, to be grateful

专名　Proper nouns

1. 孙明	Sūn Míng		name of a person
2. 张文	Zhāng Wén		name of a person
3. 马丁	Mǎdīng		name of a person

四、注释 Notes

给你打了好几次电话 I called you quite a number of times.

"好+几+量词"意思是说话人认为数量多。"好(quite)+几(several)+量词(classifier)" means the speaker thinks that something is quite large in number.

例如:(1)我学了好几年汉语了。

(2)他有好几个中国朋友。

五、语言点 Language points

1.可能补语 Complement of possibility

表示动作是否可能出现某种结果,可以用可能补语。可能补语的主要形式是:

"V 得……/V 不……"。"V 不……"式比较常用,"V 得……"式多用于问句或答句。

A complement of possibility is used to express a possible result of an action. Complements of possibility mainly occur in the following patterns:"V 得……" and "V 不……." The "V 不……" pattern is more often used than the "V 得……" pattern which is mainly used in questions and answers.

常用句式 1:Sentence pattern one:

> V 得 + 完/懂/到……

例如:A:这本书你学得完吗?

B:学得完。

常用句式 2:Sentence pattern two:

> V 不完/懂/到……

例如:(1)我一天看不完这本书。

(2)我听不懂他说的话。

常用句式 3:Sentence pattern three:

> ……V 得……V 不……?

例如:(1)这本书你学得完学不完?

(2)他说的话你听得懂听不懂?

2."在、到、着"做结果补语 "在","到"and "着" as complements of result

"在"紧接在动词后做结果补语表示通过某种动作使某物附着在某处。

224

"在" is used postverbally as complement of result to indicate that something or somebody is at a place as the result of an action.

例如：(1)书放在桌子上了。

(2)他住在学校里。

可以说 We can say:

作业写在本子(běnzi, exercise book)上。

不说 We do not say:

＊作业写在教室里。

"到、着"做结果补语表示通过动作实现了某种结果。

"到"and"着"serve as complements of result to indicate a result achieved through an action.

例如：(1)A:昨天你去哪儿了？

B:我去买书了。

A:买到了吗？

B:买到了。

(2)A:你找着他了吗？

B:没找着。

"到"做结果补语还可以表示通过某个动作使某物移到了某处。

"到", when used as complement of result, can also indicate that something has been moved somewhere through an action.

例如：(1)你搬到哪儿了？

(2)我已经走到教室了。

(3)你学到第 20 课了吗？

六、语言点练习 Exercises concerning the language points

一、用"V＋在/到/着……"填空 Fill in the blanks with "V＋在/到/着……".

1. 你_____小王了没有？（找）

2. 小明_____哪儿了,你知道吗？（搬）

3. 我的词典不见了。不知道_____什么地方了。（放）

4. 东西_____这儿吧。（放）

5. 我_____学校里很方便。（住）

6. 他不住三层,我_____了。（记）

7. 以前他在这儿住,现在_____了。（搬）

225

8. 第 19 课我们还没＿＿＿＿呢。(学)

二、用"V 得……"和"V 不……"问答

Ask questions with "V 得……" and "V 不……" and then answer them.

例：眼镜　　找到

A：你的眼镜还找得到找不到？

B：可能找不到了。

1．黑板上的字　　　　　　　　看到

2．生词　　　　　　　　　　　记住

3．中国电影(diànyǐng, film)　　看懂

4．这本书　　　　　　　　　　学完

5．中国人说话　　　　　　　　听懂

6．这么多东西　　　　　　　　搬完

7．书　　　　　　　　　　　　买着

七、综合练习　Comprehensive exercises

一、看图说话，练习典型句

Make up dialogues according to the pictures and practise the typical sentence patterns.

1．A：我的笔呢？

B：不是在＿＿＿＿＿＿吗？

——你拿(ná, to take, to hold)

的是什么？

——你手(shǒu, hand)里是什

么？

226

2. A: 你找什么?

   B: 我的_____找不到了。

   ——我找不着车了。

   ——车不知放在哪儿了。

3. A: 你找谁?

   B: 看见_____了吗?

   A: 没有。早上他来过,下午没见

   着。

   ——刚才(gāngcái, just now)他

   还在这儿。

   ——他出去了。

4. A: _____是住这儿吗?

   B: 他已经搬走了。

   ——他现在不在。

   ——我没听说过这个人。

二、替换练习 Substitution exercises

1. A：你找什么？

   B：我的眼镜找不到了，您看见了吗？

   A：不是在你床上吗？

   B：原来在这儿啊。

替换词语 Substitute words and phrases

> 圆珠笔(yuánzhūbǐ, ballpoint pen)
>
> 钢笔(gāngbǐ, pen)
>
> 铅笔(qiānbǐ, pencil)
>
> 磁盘(cípán, disc)
>
> 橡皮(xiàngpí, eraser)
>
> 发卡(fàqiǎ, hairpin, hair fastener)
>
> 杯子(bēizi, cup)
>
> 帽子(màozi, hat)
>
> 手表(shǒubiǎo, watch)

2. A：我的自行车呢？

   B：我记得你放在这边了。

   A：怎么没有啊？是不是记错了？

   B：在这儿呢，找着了。

替换词语 Substitute words and phrases

> 汽车
>
> 摩托车(mótuōchē, motorcycle)
>
> 箱子(xiāngzi, case)
>
> 录音机(lùyīnjī, tape recorder)
>
> 照相机(zhàoxiàngjī, camera)
>
> 手机(shǒujī, mobile phone)

三、怎么说 What to say?

1. 你的词典找不着了，怎么说？

2. 你打电话找人，怎么说？

3. 在超市买东西时，你不知道要的东西在哪儿，怎么说？

4. 你想坐公共汽车，你不知道车站在哪儿，怎么说？

补充句子 Supplementary sentences

1. 你 找　谁？

   Nǐ zhǎo shuí?

   Who are you looking for? / Who do you want to see?

2. 看见　我 的 眼镜　了 吗？

   Kànjian wǒ de yǎnjìng le ma?

   Have you seen my glasses?

3. 我 哪儿 都 找　了。

   Wǒ nǎr　dōu zhǎo le.

   I have looked for it everywhere.

4. 我 找　不 到 车 了，不 会 是 丢 了 吧？

   Wǒ zhǎo bu dào chē le, bú huì shì diū le ba?

   I can not find my bicycle. Could it be that it has been stolen?

5. 您 知道　……　住 在 哪儿 吗？

   Nín zhīdao …… zhù zài nǎr　ma?

   Do you know where so-and-so lives?

6. 我 跟 您 打听 一 个 人。

   Wǒ gēn nín dǎtīng yí ge rén.

   I'd like to ask you about somebody.

7. 今天　是 周末，我 谁 也 没 找到。

   Jīntiān shì zhōumò, wǒ shuí yě méi zhǎodào.

   It's weekend today. I have not found anybody.

8. 房间　　里都　找遍　　　了，也没　找到　　那本书。
Fángjiān li　dōu zhǎobiàn le，yě méi zhǎodào nà běn shū.
I have looked everywhere in the room, but have not found that book.

9. 别　着急，再　找找。
Bié zháojí, zài zhǎozhao.
Do not worry. Try and look again.

10. 看看　桌子　下面　　有　没有　。
Kànkan zhuōzi xiàmian yǒu méiyǒu.
See if it is under the desk.

谈天气
Talking about weather

第 20 课　Lesson Twenty

今天天气怎么样
What's the weather like today?

一、典型句　Typical sentence patterns

1. …… 天气 怎么样 ？
   …… tiānqì zěnmeyàng?

今天 Jīntiān
上海 Shànghǎi

2. …… 多少 度？
   …… duōshao dù?

明天 Míngtiān
今天 Jīntiān

3. 最 高 气温 …… 度，最 低 气温
   Zuì gāo qìwēn …… dù , zuì dī qìwēn

   …… 度。
   …… dù.

三十二 / 十八 sānshí'èr / shíbā
十 / 二 shí / èr

4. …… 对 这儿 的 气候 习惯 吗？
   …… duì zhèr de qìhòu xíguàn ma?

| 你 |
| Nǐ |
| 他们 |
| Tāmen |

5. 你们 国家 …… 有 这么 …… 吗？
   Nǐmen guójiā …… yǒu zhème …… ma?

| 冬天 / 冷 |
| dōngtiān / lěng |
| 夏天 / 热 |
| xiàtiān / rè |

6. …… 最 喜欢 什么 季节？
   …… zuì xǐhuan shéme jìjié ?

| 你 |
| Nǐ |
| 他 |
| Tā |

7. 有点儿 阴，可能 会 ……。
   Yǒudiǎnr yīn, kěnéng huì …….

| 下 雨 |
| xià yǔ |
| 下 雪 |
| xià xuě |

8. …… 转 ……。
   …… zhuǎn …….

| 阴 / 晴 |
| Yīn qíng |
| 三 四 级 / 五 六 级 |
| Sān-sì jí / wǔ-liù jí |

9. 我们 那儿 没有 这么 ……。
   Wǒmen nàr méiyǒu zhème …….

| 热 |
| rè |
| 暖和 |
| nuǎnhuo |

二、课文 Text

1. 今天天气怎么样?

明月　　　　　：今天　天气　怎么样　　？
Míngyuè　　 ：Jīntiān tiānqì zěnmeyàng?

小　王　　　 ：有点儿　阴，可能　会下　雨。
Xiǎo Wáng：Yǒudiǎnr yīn, kěnéng huì xià yǔ.

明月　　　　　：天气　预报　说　阴转　晴，没说　有　雨。
Míngyuè　　 ：Tiānqì yùbào shuō yīn zhuǎn qíng, méi shuō yǒu yǔ.

小　王　　　 ：天气　预报　有　时候　也不准　。
Xiǎo Wáng：Tiānqì yùbào yǒu shíhou yě bù zhǔn.

2. 明天多少度?

小　刘　：明天　　多少度?
Xiǎo Liú：Míngtiān duōshao dù?

同屋　　 ：最高　气温　二十度，最低气温　十一度。
tóngwū　 ：Zuì gāo qìwēn èrshí dù, zuì dī qìwēn shíyī dù.

小　刘　：刮　风　吗?
Xiǎo Liú：Guā fēng ma?

同屋　　 ：有　五-六级大风　。
tóngwū　 ：Yǒu wǔ-liù jí dà fēng.

3. 你对这儿的气候习惯吗?

中国　　　朋友　　 ：你对这儿的气候习惯　吗?
Zhōngguó péngyou：Nǐ duì zhèr de qìhou xíguàn ma?

大卫　　　　　　　：不习惯。这儿的冬天　太冷　。
Dàwèi　　　　　 ：Bù xíguàn. Zhèr de dōngtiān tài lěng.

233

中国　　　朋友　　：是　啊，最
Zhōngguó péngyou　：Shì a，zuì

冷　　　的
lěng　　de

时候　有
shíhou　yǒu

零　下　十
líng xià shí

几 度 呢。你们　国家　冬天　　有　这么　冷
jǐ·dù ne. Nǐmen guójiā dōngtiān yǒu zhème lěng

吗？
ma?

大卫　　　：＊我们　　那儿 没　这么　冷　。
Dàwèi　　：　Wǒmen nàr　méi zhème lěng.

4. 你最喜欢什么季节？

中国　　　朋友　　：你 最 喜欢　什么　　季节？
Zhōngguó péngyou　：Nǐ zuì xǐhuan shénme jìjié？

英爱　　　：春天　。天气　暖和　　了，可以 出去　玩儿。
Yīng'ài　　：Chūntiān. Tiānqì nuǎnhuo le，kěyǐ chūqu wánr.

中国　　　朋友　　：我们　　这儿 春天　　经常　　刮 风。我 最
Zhōngguó péngyou　：Wǒmen zhèr chūntiān jīngcháng guā fēng. Wǒ zuì

喜欢　夏天　。
xǐhuan xiàtiān.

英爱　　　：你 不怕　热 吗？
Yīng'ài　　：Nǐ bú pà rè ma?

234

中国 　　　朋友 ： 我 是 南方 　人 ， 怕冷 不 怕热 。
Zhōngguó péngyou ： Wǒ shì nánfāng rén, pà lěng bú pà rè.

5.读一读 **Read the following paragraph.**

黄　　雨生　　是 印度尼西亚 人 。 在 他们 国家 ， 一年 只有
Huáng Yǔshēng shì Yìndùníxīyà rén. Zài tāmen guójiā, yì nián zhǐyǒu

两　个 季节 ，雨季 和 旱季 。现在　他 在 北京　学习 ， 他 听说
liǎng ge jìjié , yǔjì hé hànjì. Xiànzài tā zài Běijīng xuéxí, tā tīngshuō

北京　的 冬天　会 下 雪 ，他 希望　冬天　早 点儿 来 。
Běijīng de dōngtiān huì xià xuě, tā xīwàng dōngtiān zǎo diǎnr lái.

三、生词　New words

1. 天气	tiānqì	(名)	weather
2. 阴	yīn	(形)	overcast
3. 下(雨、雪)	xià(yǔ, xuě)	(动)	to rain, to snow
4. 雨	yǔ	(名)	rain
5. 预报	yùbào	(名、动)	forecast
6. 转	zhuǎn	(动)	to turn
7. 晴	qíng	(形)	fine, sunny
8. 准	zhǔn	(形)	exact, accurate
9. 度	dù	(名)	degree
10. 气温	qìwēn	(名)	temperature
11. 刮风	guā fēng		(wind) to blow

235

12. 风	fēng	(名)	wind
13. 气候	qìhòu	(名)	climate
14. 习惯	xíguàn	(动、名)	to be accustomed to, to be used to; habit
(对……习惯)	(duì……xíguàn)		(to get used to...)
15. 冬天	dōngtiān	(名)	winter
16. 冷	lěng	(形)	cold
17. 国家	guójiā	(名)	country
18. 季节	jìjié	(名)	season
19. 春天	chūntiān	(名)	spring
20. 暖和	nuǎnhuo	(形)	warm
21. 出去	chūqu		to go out
22. 夏天	xiàtiān	(名)	summer
23. 怕	pà	(动)	to fear, to be afraid
24. 热	rè	(形)	hot
25. 雨季	yǔjì	(名)	rainy season
26. 旱季	hànjì	(名)	dry season
27. 雪	xuě	(名)	snow

专名 Proper nouns

1. 黄雨生	Huáng Yǔshēng	name of a person

2. 印度尼西亚　　Yìndùníxīyà　　　　　　　　Indonesia

四、注释　Notes

我们那儿没有这么冷　**Where I come from is not as cold as it is here.**

名词或者代词后面加"这儿"或"那儿"可以表示方位。

Nouns or pronouns followed by "这儿" or "那儿" can indicate location.

例如：我们/你们/他们/我/你/他 ＋ 这儿/那儿

　　　桌子/门(mén, door)床(chuáng, bed)……＋这儿/那儿

五、语言点　Language points

用"有"、"没有"表示比较　**"有" and "没有" used to make comparisons**

汉语里"A 有(没有)B……"表示 A 是否达到了 B 的水平或程度。

In Chinese "A 有(没有)B……" means that A reaches or does not reach the same level or degree as B does.

常用句式 1：Sentence pattern one：

A 有 B ＋ Adj

例如：(1)小明已经有爸爸那么高了。

　　　(2)你们国家夏天有这儿热吗？

　　　(3)你汉语有中国人好吗？

常用句式 2：Sentence pattern two：

A 没有 B ＋ Adj

例如：(1)我的房间没有他的大。

　　　(2)我汉语没有中国人说得好。

　　　　(我没有中国人汉语说得好。)

　　　　(我汉语说得没有中国人那么好。)

237

六、语言点练习　Exercises concerning the language points

用"有/没有"问答　Ask questions with "有/没有" and then answer them.

例：今天 30℃，昨天 32℃。

　　A：今天有昨天热吗？

　　B：今天没有昨天热。

1．杭州 10℃，西安(XĪ'ān)6℃。(冷)

2．今天 25℃，明天 23℃。(暖和)

3．星期二 18℃，星期三 21℃。(凉快 liángkuai, cool)

4．小王 1 米 67，小夏 1 米 74。(高)

5．A4 班有 16 个学生，A5 班有 18 个学生。(多)

6．这本书是上个月买的，那本书是这个月买的。(新)

七、综合练习　Comprehensive exercises

一、看图说话，练习典型句

Make up dialogues according to the pictures and practise the typical sentence patterns.

1．A：今天天气怎么样？

　　B：有点儿阴，可能会下雨。

　　　——多云(duō yún, overcast)，可
　　　　能不太热。

　　　——大晴天，可能比较热。

2. A: 明天多少度?
　　——明天有雨吗?
　　——明天还刮不刮风?
　B: 最高_____,最低_____。
　　——天气预报没说有雨。
　　——明天没有风了。

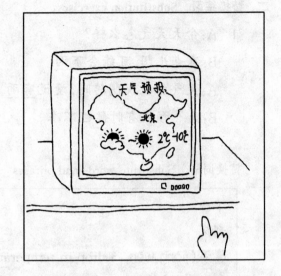

3. A: 你对这儿的气候习惯吗?
　B: _____。冬天太冷。我们国家
　　　没有这么冷。
　　——夏天太热。_____没有这
　　　么热。
　　——风太大,_____。
　　——太干燥(gānzào, dry),
　　　_____。

4. A: 你最喜欢什么季节?
　B: 春天。春天_____。
　　——秋天。秋天_____。
　　——夏天。夏天_____。
　　——冬天。冬天_____。

二、替换练习　Substitution exercises

1. A:今天天气怎么样?

   B:有点儿阴,可能会<u>下雨</u>。

   A:天气预报说阴转晴,没说<u>有雨</u>。

   B:天气预报有时候也不准。

替换词语　Substitute words and phrases

下雪
刮风
降温(jiàng wēn, a drop in temperature)
刮台风(táifēng, typhoon)
大雨
中雨(zhōngyǔ, moderate rain)
小雨
雷雨(léiyǔ, thunderstorm)

2. A:你最喜欢什么季节?

   B:<u>春天</u>。天气<u>暖和</u>了,可以<u>出去玩儿</u>。

   A:我们这儿春天经常刮风。我最喜欢<u>夏天</u>。

   B:你不怕热吗?

   A:我是南方人,怕冷不怕热。

替换词语　Substitute words and phrases

秋天	凉快	爬山
冬天	冷	看红叶
夏天	热	(kàn hóngyè, to admire red maple leaves)
	闷热(mēnrè, stuffy)	散步(sànbù, to take a walk)
		逛公园(guàng gōngyuán, to stroll in a park)
		游泳
		滑冰(huábīng, to skate)
		滑雪(huáxuě, to ski)

三、说话 Talk

1. 说说你们国家或城市(chéngshì, city)的天气。

   Talk about the climate in your country or in your city.

2. 你喜欢什么季节？为什么？

   Which season do you like? Why?

3. 你喜欢什么样的天气？为什么？

   What kind of weather do you like? Why?

补充句子 Supplementary sentences

1. 这儿 的 天气 真 奇怪 ， 一会儿 下 雨 ， 一会儿 又
   Zhèr de tiānqì zhēn qíguài , yíhuìr xià yǔ , yíhuìr yòu

   晴天 了 。
   qíngtiān le .

   The weather here is very strange. It now rains and now becomes fine.

2. 我 从来 不 相信 天气 预报 。
   Wǒ cónglái bù xiāngxìn tiānqì yùbào .

   I never believe in weather forecasts.

3. 天气 预报 说 明天 大 风 降 温 。
   Tiānqì yùbào shuō míngtiān dà fēng jiàng wēn .

   The weather forecast says that there will be strong wind and a drop in temperature tomorrow.

4. 我们 那儿 四季 如 春 。
   Wǒmen nàr sìjì rú chūn .

   Where I come from is spring all year round.

5. 这个夏天 又 闷 又 热。

Zhège xiàtiān yòu mēn yòu rè.

This summer is oppressive as well as hot.

6. 我 最 喜欢 看 雪景。

Wǒ zuì xǐhuan kàn xuějǐng.

I like to see the snow view best.

7. 这儿 冬天 冷 极 了。

Zhèr dōngtiān lěng jí le.

It is extremely cold here in winter.

8. 天气 预报 说 , 今天 多 云 间 晴 。

Tiānqì yùbào shuō jīntiān duō yún jiàn qíng.

The weather forecast says that today will be cloudy, but fine now and then.

9. 今天 是 郊游 的 好 天气 。

Jīntiān shì jiāoyóu de hǎo Tiānqì.

The weather is just right for an outing today.

10. 明天 的 降 水 概率 是 百分之三十。

Míngtiān de jiàngshuǐ gàilǜ shì bǎifēnzhīsānshí.

There is a thirty-percent chance of precipitation for tomorrow.